Boy

男孩穷着养

安君杨◎著

女孩富着养

Girl

中国言实出版社

图书在版编目（CIP）数据

男孩穷着养　女孩富着养／安君杨著.
－北京：中国言实出版社，2006. 11
ISBN 7－80128－852－1

Ⅰ. 男…
Ⅱ. 安…
Ⅲ. 家庭教育
Ⅳ. G78

中国版本图书馆 CIP 数据核字（2006）第 109381 号

出版发行　**中国言实出版社**
　　　　　地　址：北京市朝阳区北苑路 180 号加利大厦 5 号楼 105 室
　　　　　邮　编：100101
　　　　　电　话：64924716（发行部）　64890042（编辑部）
　　　　　网　址：www. zgyscbs. cn
　　　　　E－mail：zgyscbs@ 263. net
出版发行　新华书店
印　　刷　北京佳顺印务有限公司
版　　次　2006 年 11 月第 1 版　2007 年 12 月第 6 次印刷
规　　格　880 毫米×1230 毫米　1/24　10. 5 印张
字　　数　188 千字
定　　价　24. 00 元

序

"穷养男，富养女。"在古时曾被奉为养儿育女的"金科玉律"。虽然这个观点在今天听起来似乎有一点重男轻女的味道，但作为一种教育模式，对如今的我们仍有着现实的启示作用。

当前的中国青少年在社会意识形态下承担的压力要比以往大得多，他们在家里要成为父母期望的好孩子，在学校要努力争当好学生。不少中国家长们对于子女的高期望值从幼儿园时期就开始显现，诸如上好的小学、中学、大学直至谋求到一份好的工作，几乎成了中国父母们为之奋斗的全部意义所在。

这种目的性极强的心态与做法带给孩子们的压力与副作用也是显而易见的，事与愿违的例子在我们身边更是不胜枚举：许多孩子不仅在成绩上无法满足父母的期望，甚至在心理方面也出现了危险的信号。因此，如何正视孩子健康的身心教育才是我们当前更应该予以重视并亟待解决的问题。因为只有身心健康的人才是我们这个社会最需要的，否则一切都是空中楼阁。我们看到不少孩子在动手能力上及吃苦耐劳方面表现很差，遇到挫折时不能及时克服甚至产生消极心理，社会交往能力不强等。一些男孩子女性化倾向严重，有些女孩子过分爱慕虚荣，人生观与价值观的缺失现象应引起我们整个社会的高度关注。青少年教育特别是独生子女教育问题已经是当前社会上一个不容回避的课题，需要我们对此有清醒的认识并找出行之有效的指导方法。

"从来富贵多淑女，自古纨绔少伟男。"女孩身娇体贵，是父母的贴心小棉袄，疼还来不及，怎么舍得她受苦受难？男孩是父亲生命的延续，寄寓着多少希望与重托，又怎敢稍有放纵？因此，富养女、穷养男这句老话是有它一定的道理的。特别是在旧时，由于男子是家庭的顶梁柱，他们被要求或在生活中吃苦耐劳掌握一技之长，或在学业功名上有所建树，以期在将来担负起养家糊口甚至光宗耀祖的重任。与男人相比较，女子相应承担的社会责任低、压力小，就娇惯点养，不需要经历磨难，以期这样能培养出品味不凡的女性，等到了谈婚论嫁的年龄，找个家境富裕的丈夫，则可顺利地从父母的呵护下过渡到未来丈夫的呵护下，过着吃穿不愁、相夫教子、夫贵妻荣、母以子贵的生活，如此便可安度一生。

但时过境迁，旧时的观念早已不能满足如今社会的要求了。男孩子除了将来要承担起更多的家庭责任外，社会责任和压力也与日俱增。他们要一一解决面临的学业、婚姻、工作及家庭等诸多的社会及人生课题。女孩子在成长的过程中也同样面临着种种磨难。譬如，高考时，不会因为你是女性录取分数线就比男性低，差一分都会让你名落孙山；走上社会，激烈的竞争，无情的对手，也绝对不会因为你是女性而对你网开一面。

生活中的不如意比比皆是。不平等的待遇，同样的付出，却得不到相等的回报。不经历磨难，又如何能坦然面对。爱情不需要理由，可以是风花雪月的浪漫，但婚姻却是一种承诺和责任，它包含着"油盐酱醋现实，五谷杂粮需要"。没有经历风浪、磨炼，单纯、善良、不谙世事的女孩又将如何能顺利地从父母的呵护下过渡到幸福的婚后生活呢？

当然，养育孩子方法方式多多，不能一概而论，既有穷养女儿、巾帼不让须眉的；也有富养儿子、儿子翩翩绅士的。不同的教养方法虽然都达到了殊途同归的效果，但编者认为，无论家境是否富有，无论男女，适当地经历一些磨炼，经历一些苦难，从而更加懂得生活的艰辛，懂得尊重他人，懂得孝敬父母，懂得取舍，学会宽容，总不是一件坏事。

本书以一个龙凤胎的案例贯穿全书，从"男孩女孩真的不同开始，到是什么造就了男孩女孩的不同，以及面对不同，家长该怎么办等10个方面来讲述为什么男孩子要穷着养、女孩子要富着养的道理。当然，这里所指的"穷"和"富"并不是单纯物质上的，更多的是对男孩、女孩一种品质上的培养。

这种品质的培养，对于女孩子来说，其实是一种文化修养的投资，教育的富足，是对女孩子性情的陶冶和品质的培养。富也是"丰富"的意思。让女孩懂得美，懂得欣赏与鉴别，懂得自我保护，而不会被外界轻易诱惑，使之成为卓尔不群的、真正有气质有修养的女孩。

对于男孩子来说，不仅是一种教育投资，更是对男孩一生的投资。对男孩来说的挫折教育，可以使男孩在成长的过程中，觉醒到男性自我的成长与飞扬，而没有经历过失败与挫折的男孩子是长不大的。磨砺将成为男人一生的财富。

当然，现在社会发展了，家庭条件逐渐都好起来了，所有的孩子都具有富养的条件，但所有父母都有"望子成龙、望女成凤"的愿望。男孩女孩是否应该采取不同的养育方式？男孩该如何养？女孩该如何养？是应该给予孩子"人家都有"的教育，还是最适合的教育？如何才能让孩子从自身的局限、文化的困境里逃离，进入属于他自己的最广袤无垠的天地？也许真理并非绝对存在，但我们希望这些探讨可以使我们离她更近一些，也希望本书能够对读者有所启发。

2006 年 8 月

第1章　Boy 和 Girl 不一样

　　本章并不旨在阐述男孩女孩的不同，而是向读者说明，性别差异受到社会文化的强烈影响，又反过来作用于社会文化。社会文化是一把双刃剑，如今的孩子一方面陷入严重的困境，另一方面又面临着巨大的机遇和挑战。

第2章　上帝选择性别，你选择教育

事实上，性别是我们的天性，我们或许可以忽略，但却不能违背自己的天性，否则我们也许可以说，我们是在违背自己。父母作为孩子天资的第一鉴定人,找到孩子的能力和兴趣所在，因材施教，将之发展成生存和竞争的优势，才是事半功倍的教育方略。

第3章　男孩穷着养

　　男人被寄予太多的期望。这种期望在他们还是孩子的时候就已经发生作用了。当一个男孩长大后要面临立业的压力，家长便会着重培养他们掌握这种能力。我们用"穷养儿子"来概括家长的做法，这里面的"穷"字，更多包含了不同于金钱的意义。

第4章　女孩富着养

　　女孩子啊，重要的是一个健康的心态，一个温柔贤惠的性格，一个干净健康的身体，这就好了。我们这里的富养女孩并不是让女孩娇生惯养，而是如何培养出一个身心健康的女孩。使女孩见多识广、独立，有主见、明智。很清楚自己要的是什么，什么是自己真正值得追求的东西，从而能够坚守自己的信仰而不被外界势力所左右，失去真我。

男孩穷着养
女孩富着养

第5章　现代育儿争议：
男孩女孩到底该如何养?

　　本章节我们试图将几种在世界上颇有影响力的教育方法做一简单的回顾。这些教育方法，都经过了时间的历练，可谓是教育园地中的奇葩。

男孩穷着养
女孩富着养

第 1 章

Boy 和 Girl 不一样

本章并不旨在阐述男孩女孩的不同，而是向读者说明，性别差异受到社会文化的强烈影响，又反过来作用于社会文化。社会文化是一把双刃剑，如今的孩子一方面陷入严重的困境，另一方面又面临着巨大的机遇和挑战。

1. 男孩女孩真的不同吗？

妈妈的双胞胎

　　珊珊和哥哥志强是一对双胞胎，他们同时考入了外地的一所重点大学。志强选择了建筑学专业，珊珊则被中文系录取。

　　开学的时候，妈妈特地请了两天假，送两个孩子到学校报到。看着兄妹俩自己有条不紊地办妥了手续，把宿舍收拾得整整齐齐，妈妈觉得很放心，就准备动身回家。在学校门口，志强跟妈妈说了声"再见"，就高高兴兴地跟刚认识的同学打球去了，珊珊却一直红着眼圈，站在妈妈身边，不舍得离开。

　　妈妈心里又欣慰又难过，她看着女儿，也非常舍不得，同时又觉得儿子真的长大了，好像不再需要妈妈了。

　　其实，妈妈的困惑并非特例。英国的一项研究就指出，女孩子站在学校门口跟妈妈道别的时间平均是 92.5 秒，而男孩子却只有 36

秒。一说完"再见"就掉头往操场上跑，其实这就是男孩的一种特质。男孩和女孩就是这么不同，妈妈很早就意识到这一点。

4岁的时候，志强和姗姗就各自有了小伙伴、小团体，不在一起玩了。他们渐渐表现出这些差异：同样是玩积木，姗姗喜欢堆成圆形的城堡，不会像志强那样搭造楼房和火箭；同样是编故事，志强喜欢讲大盗的故事；姗姗却喜欢讲小白兔、小雪人的故事；同样是玩游戏，志强喜欢捉迷藏，游戏范围大，持续时间长，有冲突对抗，谁输谁赢一目了然，绝不含糊；姗姗却喜欢跳房子，游戏比较有秩序，该谁上该谁下有明确的规则可循，游戏步骤也有完整的规定，也不带有竞争性。

妈妈一直更为志强担心，因为从小就比妹妹表现得更好动，更有冒险精神，似乎在他身上有一种没有任何理由就去冒险的倾向。有一次爸爸给姗姗买了一个芭比娃娃，在姗姗还在忙着给娃娃准备"家"的时候，志强却把娃娃"偷"出去，用作自己跟邻居男孩打架的武器。为此爸爸很严厉的批评了志强。可这还不是最糟糕的。他在院子里做"火箭试验"，从武侠片里学习飞檐走壁的招数和工具，在马路上和消防车比赛，为了捡一个球而爬上公寓楼顶。就是那次"火箭试验"，把家里的围墙炸出一个大洞，志强还被送进了急救室。可是过了几天，志强又生龙活虎地准备下一次"试验"了。

相比之下，姗姗就乖巧多了。她喜欢和小朋友玩跳皮筋、过家家的游戏，家里各种各样的洋娃娃是她的宝贝，为了那个被哥哥弄坏的芭比娃娃，姗姗难过了好几天。她安静、合作、自动自发地学习，可是也敏感、喜欢哭鼻子。爸爸有时候会严厉地批评志强，但是对姗姗从来都是温言软语。有一次爸爸语气重了些，姗姗的眼泪立刻像断了线的珠子一样，怎么也停不下来。姗姗是妈妈的"小棉袄"，她有什么心事都会跟妈妈讲，让妈妈感觉贴心又舒服。

这对双胞胎让妈妈担心、高兴、欣慰、生气、无可奈何，但是他们一天天长大、懂事了。尽管他们长得如此相像，脾气性格却不一样，但妈妈知道，他们是很出色的男孩和女孩。

志强和姗姗的不同并不因为是双胞胎而消失，他们的故事在很多孩子身上都可以找到。科学家曾经设计了一个测试，在游戏室里设置一个障碍物把妈妈与孩子分隔开。结果发现，女孩子会站在障碍物面前哭，而男孩子会走到障碍物的两端去看看是否可以从哪里绕过去。男孩女孩的表现是如此不同，这也使得家长在教育上产生了很多问题。

我一直都出乎爸爸的意料

最近有一件事情让安妮很苦恼。在跟好友莉莉的交谈中，安妮倾诉道："我真不知道该怎么办才好。我不喜欢现在这份工作，我想到X城市与嘉鸣（安妮的男友）团聚，并在那里从事我喜欢的写作，可是爸爸坚决不同意，他认为我不应该辞去一份收入稳定、有保障的工作去冒险。他还认为，X市的经济不够发达，而留在这座城市我有更多的发展机会。"

"我喜欢 X 市，那里的生活压力没有那么大。"莉莉说。

"可是爸爸认为，年轻人应该敢于面对竞争的压力，这样才能磨练自己。"

"他这样做也是为你考虑。"莉莉劝解说。

"当然，我也是这么认为的。"安妮认同地说，"但是我已经成年了，我自己的生活方式，是不是该由我自己来选择呢？"

"我真不知道该怎么安慰你，因为我从来没有遇到这样的问题。在这种关键的问题上，爸爸从来不干涉我——他对我的要求并不高：初中毕业时，他以为我考不上高中，所以也不强迫我读书，可我却考取了市重点；等我高中毕业，爸爸觉得这样就可以了，我却考上了大学，接着，我还读了研究生。爸爸从来没有给过我压力，可我却一直都出乎他的意料。"

"那么你爸爸一定很为你自豪吧？"

"也许吧。"莉莉说，"但是爸爸认为女孩子没有必要这么吃苦受累，他对我哥哥的要求倒是很严格。"

"我爸爸却恰恰相反，他觉得我只有跟男孩子一样，才能在社会上有竞争力，成就一份事业。"

教育的困惑：传统与现实的冲击

从刚才的故事中，我们看到了两种截然不同的教育观。莉莉爸爸

的观念代表一种传统的教育观，这种教育观的主要观点是：男孩子将来要去闯荡社会，从小进行吃苦教育、挫折教育是应当的；女孩子的将来主要是操持家务而不是创业，因而没有必要让她从小就去吃苦受累。

对于这种传统的观点，很多人认为是男尊女卑思想的一种延续，是父权制的文化偏见所造成的，带有"性别歧视"的倾向。于是，他们打出"男女平等"的旗帜，认为女性和男性应该在社会中承担同样的责任和义务，没有必要进行教育的区别对待。正如安妮的爸爸所认为的，女孩必须忽视自己的独特性，"只有跟男孩子一样，才能在社会上有竞争力，成就一份事业"。

这种在教育观念上的强烈的否定思想来自时代的冲击。现代社会，科技飞速发展，竞争日趋激烈，男性已经很难承担一个家庭所需要的全部经济责任。于是很自然的，女性被从家庭中"解放"出来，有了和男性一样的权利——出去工作，挣钱，承担一部分养家的责任。传统女性的角色逐渐被弱化，而在很多职场人士的眼里，她或他，都是对手、同事、战友，谁也不比谁享有特权——没有人因为你是女人，你使用"泪弹"，就降低对你的要求，给你打开方便之门；也没有人因为你是男人，就平白无故地信任你，委以重任。一切正趋于靠实力说话。男性和女性在同一起跑线上，按照同一规则进行竞争。

看起来，现代社会的竞争中，性别已经退到了相对次要的地位，在办公室，只有业绩才能决定身份、职位、工薪。那么，事实是否真得如此呢？

在这个问题的考证上，就业性别歧视现象经常被当作讨论的焦点。举一个新闻领域的例子。有调查表明，在我国取得正式专业职称的新闻工作者中，男女新闻从业人员的数量极不均衡，男性的数量明显高于女性。在我国的广播电视部门当中，女性新闻工作者占的比重为37%，在报社，女性新闻工作者的数量占29%。

那么，是不是男性更愿意或擅长从事新闻职业，或者说，有更多的男生选择在新闻专业学习，以便将来从事这一职业呢？

我们从国内几所重点大学新闻系了解到，从新闻专业的招生来看，女生分数总体比男生偏高，男女生比例大致在1：2到1：3之间。近些年，女生的比例更呈直线上升趋势。在平时的学习中，学校对于学习成绩和活动能力方面的评价，也是女生强于男生。

尽管如此，从历年的分配情况来看，男生比女生更容易分配，且去新华社、中央级报刊和省报这些大新闻单位的男生明显多于女生。在毕业分配时，学校会尽可能向用人单位说明："其实女生无论从学习还是业务上讲都不比男生差。"而用人单位一方面说女生不错，一方面又不情愿要女生。有一位新闻专业的老师说："从来没有一个单位到系里要人的时候说，我们想要女生！大多数单位来了首先问，'能不能给我们推荐几个优秀的男生?'"他还提到，女生挣的钱比男生要少。

尽管男生的就业满意度普遍高于女生，从反馈回学校的信息来看，女生走上新闻工作岗位后，工作变动较少，比较踏实，工作态度积极。而毕业后，男生考研的数量和转行的人数比女生多。

在求职的道路上，女生比男生走得更加艰辛。尽管女大学生并不比男生差，但是要得到承认她们就得付出更多的努力。大学生就业难，女大学生就业就更难。"限男生"、"男生优先"这样的字眼在各

类信息上随处可见，虽然国家出台了有关男女平等就业的各项规定，但是很多用人单位还是把女生拒之门外。根据江苏省妇联的一个专题调研显示，80％的女大学生表示自己曾在求职过程中遭遇性别歧视，有 34.3％的女生有过多次被拒绝的经历。

为什么女生遭遇了比男生更大的困难呢？

用人单位一般用不同的性别适合不同的岗位和行业来解释这个问题。例如，男生的逻辑性要比女生好一些，所以研发类的工作更倾向于招聘男生；而女生细心、细腻，更适合从事行政、后勤的工作。

然而我们也在一些招聘启事上看到，很多没有性别区分的职业也同样写出了"限男生"的字样。例如商务英语，也许女性还会更加合适一些，为什么用人单位还是只招聘男生呢？

这些用人单位更多考虑的其实是成本的问题。女性需要结婚生子，在照顾家庭、抚养孩子方面往往投入相当的精力。随着我国相关部门对妇女权益保护力度的加大以及相关司法、维权机制的完善，企业不能以此为借口辞退女性，其人力成本就会相应增加，自然也会对发展带来一定影响。而男性这面的负担相对少一些。正是出于这一考虑，尽管上面有国家出台的关于男女平等就业的各项规定，许多用人单位还是以各种方式来给女大学生就业设置更高的门槛，在具体操作中进行了区别对待。

我们提倡男女平等，正是因为社会上有不平等的现象存在；国家出台一系列法规来保障"男女平等"，就是因为诸如就业性别歧视问题仍然存在。然而在现阶段，我们并不能超越这些矛盾，对于性别角色的认识至今都没有普遍一致的定论，因此对于家长而言，与其等待这些状况的改善，不如改善教育方法，让孩子更适应目前的社会状况。

　　事实上，男女平等并不是绝对意义上的平等，而作为男孩和女孩的父母，经常会有很多的困惑，因为我们的确看到了孩子在性别上存在许多差别，这些差异实实在在地出现在我们的生活细节中。差异并不能造成优劣。漠视这种差异，并不能让孩子生活得更好，自欺欺人的绝对平等只能引起混乱，造成更大的问题。

2. 是什么造就了男孩女孩的不同?

认识你的宝宝

在《圣经》中，耶和华用地上的尘土造人，将生气吹在他鼻孔里，就成了叫亚当的男人。耶和华让亚当看守伊甸园，还决定为亚当造一个配偶来帮助他，便在亚当沉睡的时候，取下他的一条肋骨，又把肉合起来，造成一个女人，取名夏娃。

亚当和夏娃的故事深入人心，在很长时间内人们接受这种对性别差异的解释，然而，随着科学的发展，人们逐渐认识到，性别的不同归根究底来自于生理因素的差异。

心理学家认为，有三大因素造成了对性别的生理影响：染色体、荷尔蒙和大脑结构。

染色体

关于染色体，很多父母通过生物课本都有所了解。妈妈贡献了具有相同身份的卵子：22 对染色体再加上一对性染色体，性染色体一定是 X。爸爸贡献的精子同样有 22 对染色体，再加上一对性染色体。但是这对性染色体可能是 X 也可能是 Y。结果是，如果卵子与含有 X 的精子结合，未来的婴儿就是女孩。如果精子含有的是 Y，那么就是男孩。

有趣的是，染色体性别只适用于部分灵长类动物，其他动物的性别并非全都由染色体决定，而有其他因素的作用。例如，鳄鱼在高温时孵化为雄性，在低温时孵化为雌性。此时温度起到了决定性的作用。

荷尔蒙

在怀孕的 6 周内，胚胎的自然倾向是沿着女性的路线发展的，荷尔蒙的出现，激活了染色体基因蓝图，使得胚胎开始向男孩转变，或者继续原先的女性蓝图。

"荷尔蒙"亦称激素，希腊文原意为"奋起活动"，它对肌体的代谢、生长、发育和繁殖等起重要的调节作用。尽管宝宝的性别在受孕时就已经决定了，而且将在余下的一生中保持这一性别，但实际上他们会在度过这一生时或多或少地偏向于女性或男性一点。这种变化与荷尔蒙有极其密切的关系。上面我们提到，爸爸贡献的性染色体决定了是产生男性性器官还是女性性器官，正是这些器官释放出荷尔蒙，这些荷尔蒙能够显著地改变身体的每一个器官和组织——包括大脑，并打上性别标记。生命中各个阶段不同层次的荷尔蒙持续地依性别改造人们。换句话说，染色体决定了性别，而荷尔蒙帮助实现了性别差异。这两个因素（染色体与荷尔蒙）之间有着复杂的互动关系

——正如心理学家马尼（Money）所阐述的观点：两性是从同一组织中分化出来的，所有的人走在同一条路上，但是后来分了路，潜在的男性和潜在的女性通过一系列的岔路口分别走上不同的道路——这一情况使得人们具有两性差异而每一个人之间又彼此不同。

荷尔蒙具有如此深远的影响，这也可以解释为什么它们在男性和女性当中的不同含量是如此的重要。女性染色体基因蓝图由女性激素激活，女性激素主要是雌性激素和孕激素。与之相对应，睾丸素则在塑造雄性特征方面起到了重要的作用。但是不论男性女性，在他们的体内均会产生男性激素和女性激素，不过男性产生的男性激素多些，而女性产生的女性激素多些。当然，性荷尔蒙的比例，直接关系着男子与女子的体态、思想、情绪及心理方面。如果这些性荷尔蒙的比例失常，则女性会变得男性化，而男性也会变得女性化。

雌性激素和孕激素　　"你是不是在谈恋爱了？"当身边的女性突然漂亮起来，人们通常会这么说。的确，谈恋爱时人的心情好，心情好人也会漂亮。然而，这并不是全部，从生理的角度，当一个女人处于恋爱状态时，她体内的女性激素浓度会升高，在女性激素的刺激下，皮肤会收缩，使大量的水分子停留在皮肤基底胶原蛋白中，因此皮肤显得特别光滑、细腻、充满弹性。

女性激素包括雌性激素和孕激素。它们属类固醇化合物，主要由卵巢分泌，用来促进雌性生殖器官的成熟、第二性征发育以及维持其正常功能。它们使得女性具有生育的力量，并表现出特定的自然行为。

女性激素给少女带来第一次月经，也促使她突然快速成长并使她的鞋码也飞快增长。同时，它还对女性的学习、思维和记忆产生显著影响。它能增加身体脂肪的成分，使人富于情感，思绪细密。有研究证明，女性激素可能是早先关于男女性精神分裂症的一个重要答案。

睾丸素　睾丸素将小小的胚胎转化为男孩，这一过程在很多方面改变了大脑的结构，这些改变日后将产生重要的影响。例如，男性都很困惑，为什么他们对感情的接收较女性而言更为麻木，他们并不知道，自己大脑两半球电流传输的数量受到限制，而女性通过接触两个半球过去积累的经验，很快就领会出自己的感觉。

睾丸素与心理控制、自信的身体特征和高度的自尊有关联。在竞争激烈的环境中，身体含睾丸素量多者占有支配地位。竞争中获胜的一方，睾丸素的分泌呈上升趋势，而失败的一方则呈下降趋势。有学者将其称为"风险推进剂"——随着睾丸素的增加，人们逐渐抛弃了小心谨慎的态度。

女性身上也存在少量的睾丸素。上班工作的妇女比待在家中的妇女睾丸素含量要高，甚至她的女儿也比后者的女儿睾丸素含量高。然而，男性身上的睾丸素是女性的 10～20 倍之多，这使得男性更有可能去追逐财富、权力、名誉和地位。

血清素　血清素也是一种影响人行为的荷尔蒙，它的作用是把信息从一个神经细胞传至另一个神经细胞。它能够使人的情绪平定安静下来，控制冲动行为，也有助于人作出良好的判断。实验证明，血清素拥有量不足的老鼠更具攻击性，会呈现出类似焦虑的行为特症。

血清素是恋爱、母爱的化学基础。如果女性血清素不足，就会缺少对家人的爱。血清素在大脑里越活跃，人的幸福感就越强。有研究表明，85% 的女性其血清素要高于男性。这也是很多男性脾气更为火爆的原因之一。

大脑结构

医疗史上，医生和科学家们曾假定，除了那些直接涉及生殖的器官，所有的男性和女性器官都是一样的。直到大约 30 年前，科学家们才第一次观察到雌性老鼠和雄性老鼠的大脑结构差异。现在研究已证实，我们人类自身也在大脑的结构和工作方式上有着男女差别。在胎儿时作用于性器官发育的激素分泌，同时也对大脑发育构成影响，它更倾向于激活某些神经元的连接，同时抑制其他神经元的连接。最新的医学成像技术可以清楚地表明，男人和女人（婴儿也是如此）使用大脑的方法不同，大脑活动的优势区域也不同。

例如，男女的语言功能在大脑的不同部位，它影响语言的流利程度、用语理性、联想的流利程度，儿时女性的语言能力强于男性，而男孩在空间识别方面更胜一筹。女性的五种感觉（视觉、听觉、嗅觉、味觉、触觉）都比男性敏感。我们可以看到，在刚出生后的几个小时，女婴就比男婴对触觉敏感。对于噪音、痛觉和不舒适感，女婴也比男婴更容易产生烦躁、焦虑的感觉。甚至早在女婴听得懂语言之前，她就似乎比男婴善于察觉说话声音中的情绪成分。男性对物比对人更感兴趣，身体更活跃，攻击性更强；女性则对新人比对新玩具更有兴趣，喜欢合作性而非竞争性的游戏。

从大脑结构看，男性左脑发达，它控制线性的逻辑思维和抽象性、分析性的思维。女性右脑发达，长于想象、艺术活动，整体性、直觉性的思维。女性比男性更多使用左右脑的连接神经组织，因此女性的这一连接组织比男性更发达。

粉色还是蓝色？

我们继续第一个故事：

自从双胞胎儿女去外地读书，妈妈对他们的思念与日俱增。女儿姗姗几乎每天都会跟妈妈通过手机短信聊天；儿子志强则是每周末打一个电话回家——妈妈觉得这些也不能安慰见不到孩子的心情，但是妈妈知道自己必须学会适应。

妈妈的身边突然安静下来，她开始习惯把8小时之外的时间留给自己。但是很多时候，妈妈会不由自主地打开孩子们的房间，看看放在书桌上的照片——孩子们的笑容是多么灿烂啊！

志强的房间是浅蓝色的基调。他的床被做成赛车的模型，墙上挂着篮球筐，还贴着一张姚明的宣传海报。照片是志强参加中学生运动会4×100米接力赛时拍摄的，照片中的他朝气蓬勃。

姗姗的房间像小公主的卧室。浅粉色的窗帘，乳白色的小床，床上堆着各种各样的毛线玩具。姗姗的照片是在学校表演话剧时拍摄的，照片里的小姑娘笑靥如花，温婉可爱。

性别经常被用一些词汇来代表。很多婴儿在出生以前就已经被性别化了。那些知道自己的宝宝是男孩的妈妈总是说肚子里的小家伙正在"用力"地踢她，而怀着女孩的妈妈则不会使用这些有力度的词汇。

婴儿一出生，父母就自然而然地将新生儿安置在符合他性别的世界中。在 21 世纪初的今天，我们在为婴儿选择家具、衣服时更应该独特和新奇。但是，实际情况并不像我们想象的那样。加拿大的一位研究人员拜访了 100 名从 5～25 个月婴儿的家庭，研究他们的生活环境。调查结果表明，传统的做法是何等地有生命力！

小女孩最经常穿的是粉色或其他色彩柔美的衣服，同样，她们戴的装饰也大多是粉色的；男孩则主要穿的是蓝色、红色或白色的服装。

至于给孩子们的玩具，也是根据他们的性别精心挑选的。男孩的玩具大多是玩具枪、汽车，女孩的玩具则是娃娃和厨房的工具。

当父母们不由自主地按照这种方式对待子女，他们的孩子就会接受这些性别的暗示，建立起自己的角色认同模式。研究发现，婴儿 1 岁左右，就开始有性别的归属感了。婴儿对同自己性别相同的孩子和大人尤其感兴趣，更专心地看着这些人，并试图同他们接触。18 个月大的时候，孩子已经表现出符合自己所处"性别组"的习惯。如果让他们在没有任何的引导和压力下自己选择玩具，小女孩更喜欢选择女孩的玩具，小男孩更喜欢选择男孩的玩具。这可以说明，孩子已经接受了周围人给他们的性别信息。到 2 岁左右，当被人问起的时候，大部分小孩子能够说出自己是男孩还是女孩，而且非常主动地做出符合对自己性别的文化模式的行动：小男孩竭力地模仿爸爸，小女孩则更多地模仿妈妈，小家伙们也更愿意选择同性别的孩子作为游戏伙伴。

前面我们已经提到，人类的性别由基因和荷尔蒙决定。那么，孩子的性别认同是否是因为自己体内的基因和荷尔蒙在起作用呢？科学家们曾经做过一个实验，他们跟踪 105 个婴儿的成长，而这些婴儿出生后，人们无法从外部的生殖器官判断他们的性别（由于染色体或激素分泌的异常，有时会发生这样的事情）。结果怎样呢？这些婴儿完全按照父母的养育方式确定了自己的性别角色。其实，在生活中我们也会发现，如果把一个男孩用女孩的方式养育，他们长大后就会有许多女性的行为。同样，人们把女孩当成男孩培养，她们的行为怎么看怎么像个男孩。

人类的性别认同是一个很复杂的问题。这其中有身体的性别类型，也有更难决定的心理性别类型。身体的性别类型基于染色体基因蓝图，有一些女人身上的男性荷尔蒙比别人多，而有一些男人的荷尔蒙偏向于女性，这些荷尔蒙决定了第二性特征的发展，使得一些男人表现出女性特质，而女人则出现男性化。然而，心理性别类型的决定绝不仅仅是这些因素。个体接受或拒绝自己的性别、对于自己的和其他性别的情绪关系等等问题，都由人类的社会存在来共同决定。社会文化的作用不可忽视，这其中也包括教育的作用。

20 世纪 60 年代起出现的社会建构论认为：每个人的成长都是基因和环境共同作用的结果，基因和环境之间存在一种极为复杂的互动关系。性别是以生理性别为基础的社会建构，一个人为男为女，并没有天生的性别认同，他们是在成长过程中获得性别认同的，在经过社会的建构之后才成长为男人和女人。生理性别是天生的，心理性别则是与社会交互影响的产物，它会随着时间和文化的不同而改变。

随着时间的推移，文化与社会对不同性别态度的变迁，引领着家长以相同或不同的方式养育子女。我们的文化早就为男孩和女孩规定好了他们应该表现的性别形象。例如，当小男孩要玩娃娃时，他的父母会变得紧张兮兮，甚至非常强烈地干预，而且爸爸往往表现得更为

严厉，不能容忍这种行为的混乱（一般来说，男人好像更执着地追求遵守有关性别角色的文化标准）。而对女孩，父母则比较灵活，允许她进行一些并不是十分女性化的活动，但同时，也还是倾向于引导她玩女孩的游戏。

最近的几十年中，我们在性别方面的讨论一直围绕女性受歧视或男女平等来展开。然而，也有一些社会学家警告说，男性中也正在出现一种我们以前从未见过的危机。事实上，我们正在面临一个转型中的社会，那些我们未曾遭遇过的社会压力和激烈竞争扑面而来，其中很多让成年人都束手无策的问题，将不可避免地降临在孩子们的身上。如何教会他们正确对待，这是一个严肃的话题。父母如何引领孩子认识性别差异，并将之转变为机会，将在下文阐述。

第 2 章
上帝选择性别，你选择教育

事实上，性别是我们的天性，我们或许可以忽略，但却不能违背自己的天性，否则我们也许可以说，我们是在违背自己。父母作为孩子天资的第一鉴定人，找到孩子的能力和兴趣所在，因材施教，将之发展成生存和竞争的优势，才是事半功倍的教育方略。

3. 面对不同，家长该怎么办？

男人还是女人？

刘微每天早晨起床后都要做瑜伽，然后喝一杯果汁，每星期去美容院做一次脸部护理，每个月去商店疯狂购物一次，每3个月染一次头发……这个20世纪80年代新人类有着清秀干净的脸庞、长长短短富有层次的发丝、灿烂的笑容和明眸皓齿，喜欢小动物和漂亮衣服，热爱厨房……

看到这样的描述，你是不是觉得刘微是一个挺有钱也挺有闲的时尚女孩？其实，刘微是一个身高1.8米的年轻男人，同时也是一个职场白领。

这样的现象并不离奇。T型台上，国际时装设计大师们早就将更多的女性化元素注入男装中，花边、蕾丝、透明面料、束身设计、明艳色彩的大胆采用，使男装在女性化的风格中找到了打破沉闷的突破口，就连很多一贯保守的品牌，也开始大肆地在男模身上点缀各色花朵形佩饰。

演艺圈里，我们看到越来越多面孔俊美、打扮阴柔的男子，他们没有彪悍的体形和"块"状肌肉，却有着蓬松飘逸的头发、温柔多情的眼神、敏感而细致的心和孩子般的纯真气质，他们将女星们的美貌与笑靥拿来发扬光大，给"男性美"下出新的定义，他们打出"像花一样的男子"的旗号，掀起一股美男风暴，成为许许多多年轻人的崇拜对象。

让人跌落眼镜的是，这股风潮还刮进了体坛，于是超级帅哥贝克汉姆染了粉红色的指甲，而大名鼎鼎的NBA篮板王罗德曼竟然涂着眼影、染着指甲油招摇过市，他们超乎寻常的影响力使得商场的指甲油柜台引来许多男人的驻足，生意大好。

事实上，这样的现象古已有之。从《红楼梦》中我们找到这样的描写："面如敷粉，唇若施脂，转盼多情，语言常笑。天然一段风骚，全在眉梢；平生万种情思，悉堆眼角。"这是一段对贾宝玉的形象刻画，就是这样一个貌美如花的男孩打动了大观园里多少女性的芳心，更成为古典小说里美男子的典型代表。浏览一下古典文学，其中的美男子如宋玉、潘安也大抵都是这样玉树临风、俊朗清秀、温柔多情。

与之形成对比的是，在男人们忙着向女人靠拢的时候，女人们反而试图突破自己的传统形象，寻找新的角色定位。

25岁的小敏是个职业女性，她的一头短短的"毛寸"打理得很精神，面孔经过不露痕迹的精心修饰，肤色微黑，衣服从来是黑、棕、灰三种颜色，如果从背影看，很难一下子读出她是女人，甚至从

正面看也会让人产生错觉。

小敏很喜欢自己的发型，为了这个发型，每个月她都要驱车一个小时，到固定的地方约固定的理发师打理，为此她每月的支出费都在 150 元左右。

在小敏的身上，女人特有的温柔气质已经明显淡化，"工作时我忘了我是女人。"小敏如是说。她认为这种兼具男性与女性的气质特征，使她在职场中具有一定的心理优势，不会因为显得柔弱而被歧视，也不会因为太过阳刚与客户轻易闹崩。

可能是一部名为《我的野蛮女友》的韩国电影揭开了这一序幕。电影中的女主角喜欢喝酒，有正义感，爱打架，动辄和人打赌，把小鸟依人的形象彻底抛到了一边。电影在国内播出后，年轻女演员全智贤红遍大江南北，野蛮女友的形象更是迅速深入人心，这个有点离经叛道的角色引来不少女性的效仿，连很多男性都颇为欣赏。

而把这种美传播为时尚的无疑是 2005 年的《超级女生》。在这场全民选秀中最终夺冠的李宇春，不仅毫无脂粉之气，反倒打扮得长裤短发、帅气逼人，她出现在舞台上，清爽洒脱，为人低调，台风和举止颇具绅士风度，虏获了数十万观众的心，成为真正的民间偶像。且看网络上如何诠释李宇春现象：

"喜欢李宇春也是一种美好情致。其实，同性之间，也需要一种欣赏、赞叹。年少的时候我们也希望成为这样一种人，身上有着男孩子的不羁和清爽，让人产生一种安全感……看李宇春展臂，接纳张靓颖的手，在五组的帮帮唱中，只有她是最无私的，甘愿当靓颖的配音。那种保护欲和气度，这种瘦而清矍，那般闪耀，也是意料中的事情。"

"我一直不喜欢中性化的女生，但是看了李宇春，突然呆住，世界上怎么会有那种女孩，对她的感觉很奇妙，她身上的确有着让人着迷的东西，甚至如楼主所说的悸动，她既能消除女性间的猜忌，又能使你对她产生同性间特有的亲密无间……"

美国《男士健康》杂志曾经就"美国男性心目中最性感的50名女人"做过一次调查，结果当时的第一夫人希拉里因其"有权力和自信心的女人"的吸引力而荣列第一，而三围骄人的好莱坞艳星们都排在30名之后，甚至毫无美貌可言的政界女杰奥尔布莱特也荣列第六位。

男性群体的女性化和女性群体的男性化被冠以"中性化"的头衔，成为一种世界范围的青年文化现象。这不只是审美趣味的变化，还是整个社会的文化价值取向以及社会的一种认同变化。本书立足家庭教育问题，更愿意透过现象探寻隐藏在后面的根源和本质。

教育的性别趋同化

　　30 年前，美国著名未来学家阿尔文·托夫勒预言了世界发展的十大趋势，其中就包括性别的中性化。那时的英美社会，女权运动正在兴起，我们国内的环境，也比较推崇男孩女孩都一样的风气，整个社会女人也需顶起半边天。那时候的家庭，父母对家庭的付出强度几乎是等同的。社会倡导艰苦朴素的生活作风，小女孩朴素得和男孩没什么差别，如果注意打扮，就有变成"坏女孩"的倾向，而可能为周围人所鄙夷。

　　随着时间的推移，我们的社会渐渐展现出更为理性的姿态，我们不敢断定性别中性化的预言能够像"资讯革命"一样果然以明确的形态出现，但如今，中性化的确已经作为一个时尚词汇，频繁出现在我们面前。

　　如果说时下年轻人对中性风格的欣赏带有一种流行和游戏的态度，那么中性化在职场上表现得尤为深刻。"一份中性的工作做久了，自己也越来越中性了。"很多职场人士如是说。

　　这些中性化的倾向不可避免地影响到教育。香港中文大学的一位教授曾经对北京、上海、深圳等大城市近 1000 名家长作了一份调查，报告显示，90% 以上的父母对女孩的教育方式趋于男性化，包括鼓励孩子在和人交往的过程中能够影响他人、领导他人，并有能力从事那些在传统观念看来不适合女性的工作。

　　与此同时，越来越多的男孩在不同程度上表现出女性的阴柔气质。"说话细声细气，动作扭扭捏捏。要是算上这样女性化的男生，我们学校的'女生'真是比男生多多了。"一位重点中学校长在计算自己学校的男女生比例时这样无奈地说，"真不知道为什么现在的男孩这么不像男孩。"

　　这样的情况在校园里已经不是少数现象，教育中的性别趋同化，已经成为一种社会现象，引起社会的关注和反思。

　　李力是个在部队里长大的女孩子，她从小就跟部队家属区的男孩子们"摸爬滚打"地玩在一起，玩具都是军车模型和玩具枪，衣服都是军绿色的，连发式都跟男孩子一样。李力没有玩过布娃娃，也不喜欢穿裙子，性格大大咧咧，简直是个"假小子"。

　　李力的性格跟当军官的爸爸有很大关系。爸爸不喜欢女孩的矫揉造作，希望李力能够像男孩子一样坚强勇敢，长大以后也成为一名部队战士，所以，他很鼓励女儿的"男孩做派"。

　　李力渐渐长大了，进入谈婚论嫁的年龄，可是她发现男孩子们都把她当"哥们儿"，所以周围的女性朋友一个个都有了男朋友，自己却还是单身一人。眼看李力的年纪越来越大，爸爸也有些急了。

　　在对子女的教育过程中，性别真的可以忽略不计吗？在这一问题上持肯定意见的不在少数，他们从极端的社会建构论中找到理论的支持。他们认为，所谓性别都是社会建构的，不存在先天的自然事实。所谓的女性气质与男性气质，只是出于社会建构的性别术语。如"酷儿理论家"朱迪斯·巴特勒所说的，根本不存在像合法的性别身份这样的东西,而我们所理解的男性气质和女性气质其实正是被社会制约的表演。那些被称为"酷儿"的人最明显的特征就是难以给他们分类,他们可以是有男性气质的女人、有女性气质的男人、同性恋者、易装者、易性者,甚至更多。

当性别失去了严格的分类,单一的男性或女性概念就失去了意义,似乎人们可以按照自己的偏好在现有的性别中自由选择,性别趋同化也就自然而然了。

王清从小就失去了父亲,他和妈妈同外婆和几个姨妈生活在一起。因为是家里唯一的孩子,长辈们都很疼爱他,吃穿住行都让着他、哄着他,呵护有加。

王清从小身边就没有男性,所以他并不知道他跟家人在性别上有什么不同。上学后,他很自然地跟女孩子玩在一起,那些女同学也把他当成自己"小圈子"的一员。而男生却嘲笑他,经常欺负他,每到这个时候,他的小女伴们都会站出来保护他。

大学毕业后,王清一直没有找到合适的工作,因为他害怕找工作时被拒绝,家人想方设法为他找了一份工作,他没过试用期就辞职了,因为工作中以男同事居多,工作压力又大,他根本应付不了。

中性化风潮的流行,是否意味着我们的教育也要随波逐流?刻意的回避性别是不是正确的选择?极端的社会建构论的支持是否经得起实践的考验？在现实和时间面前，没有家长愿意把自己的孩子作为试验品，因为教育不可逆转，而失败的教育其影响无疑是深远的。

玩具的故事

关于上面的问题，心理学家詹姆士·杜布森博士举了一个关于玩具的例子。美国曾经围绕玩具展开一场旷日持久的争论，争论的焦点是：玩具商是否带有性别歧视，或者说，他们是否应该给玩具戴上性别的帽子。

当时一本被誉为"第一本真正的供非性别歧视者使用的育儿指南"的畅销书写道，应该鼓励男孩子玩布娃娃和茶具，玩"当外婆、做妈妈"的游戏。这本书取名《成为自由的你和我》，书中举出很多性别颠倒的例子，如母亲在屋顶盖屋板、搅拌水泥，父亲则在厨房做早餐。这些观点受到很多人追捧。正如女权主义者杰曼·格里尔所说："性别之间的差异是怎么产生的？不就是那些玩具制造商灌输给我们的吗？他们让男孩玩卡车，让女孩玩布娃娃，还有那些教师、家长、雇主——来自性别歧视社会的所有邪恶的影响——或许这就是我们需要对付的所有社会问题。"

他们给玩具制造商和销售商店施加压力，并把一家 SAV－ON 医药连锁店告上法庭，声称孩子们由于在商店里看到两个相距 8 英尺远的"男孩玩具"和"女孩玩具"的标示牌而受到精神折磨。这家商店最终屈服，同意在他们店里不再列出"与性别相关的"标示牌。

在后来的日子里，玩具零售商们不再以性别方式陈列玩具，甚至有一家商店采取了"中性"的市场营销方案，但是这一方案并没有奏

男孩穷着养
女孩富着养

效。为此商店进行了市场调查，结果显示，男孩女孩对于玩具有不同的是需求偏好。最终商店回归了分别陈列玩具的做法。

另一个玩具制造商则生产出一种新的娃娃屋，号称它可以同时吸引男孩和女孩。后来的事实是：女孩在玩"过家家"，用传统的方式玩积木；男孩子则把娃娃车从屋顶上推下来，把女孩子们的游戏搅得一团糟之后，又回到他们的画图板那儿去了。

这场争论最终以医疗技术的检验收场。20世纪80年代后期，生理学家们利用核磁共振造影等技术对大脑功能进行了详尽的检查，他们发现，男性和女性的大脑是有明显差异的，在相同的刺激下，大脑反映的区域是不同的。这些发现本书在前面已经有所介绍。

我是男孩还是女孩？

小杰是家里的老大，父母希望他能够像大姐姐一样照顾下面的两个弟弟，就把他当女孩来养。妈妈给他穿粉色的衣服，戴小首饰，还给他留长发……"小时候的照片里，我都穿着女孩的衣服。"小杰说。

上学以后，小杰换上了男孩的衣服，可是他却感到"不是滋味"。看着女同学们穿着裙子走进教室时，小杰又嫉妒又羡慕。于是，他常常偷偷在家穿妈妈的衣服，"过一把瘾"。

随着年龄的增长，小杰越来越觉得自己应该是个女孩子，说话的语气神态也像足了女生，外面上公厕时，他总好奇而理所当然地认为自己"该进女厕所而不是男厕所"。

同学们也觉得他不一样，都在后面偷偷地叫他"娘娘腔"。以前跟他要好的女孩子都躲着不跟他玩，怕他有不良的企图，男孩子更是疏远他，还经常出他的洋相。

"你说我和男孩子能聊什么，和女孩子又能聊什么呢？"小杰的童年和少年时光非常孤独和痛苦，性别模糊的他，没有一个知心朋友。"我对两个弟弟十分疼爱，他们也十分尊重我。但是，当他们叫我姐姐的时候，我的心就像刀扎一样难受，因为我虽然能够像姐姐一样对待他们，但是我却不能像别人的姐姐那样，有一个正常的生理条件，可以让弟弟骄傲地对别人说我有一个姐姐。"

小杰觉得老天跟自己开了个残酷的玩笑，毕业后，他以女性身份到外地打工，为自己积攒了一笔钱，并且不顾家人的反对，执意作了变性手术。

小蒙也是一个以女孩形象出现的男孩，与小杰不同的是，他患有尿道下裂和左隐睾，因为出生时男性特征不明显，生殖器外观看起来也像女孩，而被家人当成女孩抚养。

小蒙读小学时，就比较喜欢和男孩子相处，反而跟女孩子没有什么话题，很少有玩得来的女伴。随着年龄的增长，很多女孩子爱漂亮，穿上漂亮的裙子，将自己打扮得花枝招展，可小蒙却一直排斥穿裙子，衣柜里没有一条裙子。但对于女孩子比较喜欢的玩具，小蒙也同样喜欢，特别喜欢一些毛毛熊和娃娃等玩具。

"不男不女"的特征，渐渐在小蒙的生活中投下巨大的阴影，但小蒙的爸妈却没把这当回事。直到读初中的一次体检，医生发现小蒙没有任何女性的特征，也没来过"例假"，相反喉结比较突出，身上长着很浓的汗毛，脸型也很像男孩子，就对小蒙的性别产生了怀疑，建议他去医院检查。

医院为小蒙检查了染色体、B超等项目，结果很快出来，染色体

男孩穷着养
女孩富着养

也为 XY，没有女性特征，即"假两性畸形"，确定他为男性。

为了恢复自己的男性身份，小蒙做了很多次手术，但手术的效果并不理想，医生并不确定小蒙今后的生育不会遭受影响。"如果小的时候就做手术，效果肯定会好一些。"医生如是说。但是手术带来的伤痛又怎么抵得过小蒙心理的创伤呢？

性别教育的缺失造成性别错位

孩子性别角色模糊并不能排除先天的原因。前面我们提到过，在胚胎期，人的性腺结构在发育初期倾向于形成女性器官卵巢，这被称为"夏娃原理"。如果缺乏雄性激素，胎儿的性别蓝图就会混乱，在母体内就会引起男性大脑女性化，从而造成性别认同的困难。

但是对于更多出现性别角色模糊问题的孩子来说，后天的因素才是真正的原因。父母的示范作用、社会的强化作用和语言的影响等等因素的力量不可低估。性别认同并非自然而然发生的。有研究表明，人类对性别的自我启蒙是从 2 至 3 岁开始的，如果孩子在幼儿期没有接纳外界的正确引导，不能及时完成性别认同，日后就有可能会出现不同程度的性别偏差行为。下面列举影响孩子性别认同的几个重要因素：

家庭

残缺家庭及其辐射区 对于孩子来说，母亲的温柔细心和父亲的果断自信都不可缺少。任何一方的缺席，都会破坏孩子完整和谐的成长环境。残缺家庭是指家庭出现夫妻双亡或一方亡故、分居、离婚、再婚、在押等情况，其辐射区包括父母一方或双方工作繁忙，无法照顾孩子的家庭。这些家庭往往将孩子托付一方或他人，造成孩子长时间和同一性别成人生活在一起的局面，孩子没有同伴，没有兄弟可学习，也没有姐妹可比较，缺乏性别定位，从而比较容易偏离正确的性别角色。很多家长对这种缺憾的影响浑然不觉，等发现孩子的性别认同存在问题时，孩子已经偏离正常轨道很远了。

不和睦家庭 家庭成员之间特别是夫妻之间经常吵骂、指责、揭短、厮打，弥漫着一种冲突或不和谐的气氛，会给子女带来极大的挫折感和不安全感。心理学家调查发现，成长在不和睦家庭的孩子性格往往存在不同程度的缺陷，要么叛逆偏激，要么固执怪异。在不和睦家庭长大的孩子往往得不到正常的父爱和母爱，得不到良好的家庭教育，长期的内心痛苦和心理问题的积重难返，使他们对健康的性别角色缺乏正确的判断，从而无法正确完成性别认同，可能会把投射在父母身上的反感，转化为对某种性别的偏差态度。

家长误导家庭 有些地方有这样的习俗，男孩被穿上裙子、起个女孩的名字等当作女孩来抚养，家长愚昧地以为这样会好养一点，还有的父母是既想要男孩又想要女孩，于是把男孩当女孩养或把女孩当男孩养。这些父母错误地认为，等孩子长大了，自然又会变成男孩的样子，其实，孩子的性别教育在5岁之前就应该完成，并在以后不断强调。长期"异性打扮"，会导致孩子产生性别认同混淆，等孩子长大了再想让他变回男孩或女孩已经太晚了。

溺爱孩子家庭 随着计划生育政策的实施，独生子女越来越多，溺爱孩子的家庭也越来越多。这种家庭的家长对孩子娇生惯养、百依

百顺，甚至袒护包庇。在这种教育环境下长大的孩子性格脆弱，无法接受任何挫折，害怕承担责任。特别对于一些男孩子而言，当到了青春期，第二性征陆续出现时，他们在潜意识逃避成为"男人"的事实，希望自己仍像青春期前一样，和女孩没多大差别，因此掩藏自己的男性特征，比如说话细声细气、剪掉胡子，从而造成了女性化。

学校

受传统意识的影响，中国传统的学龄前儿童教育，"施道者"基本上都是女性，幼儿园的"男阿姨"自然是凤毛麟角，甚至在国内大多数城市的中小学校，教师性别"生态"失衡的问题也日渐凸显。实际上，男教师的一些性格和生理特点，是女教师不可替代的。幼儿长期处于被女性包围的环境中，也不利于健全人格和品质的形成。"我们在平时教学过程中发现，男幼师带孩子有独特的方式，他们很少娇惯孩子，也很少主观宠爱、偏爱某些孩子。这种平等、粗放的态度有利于和儿童形成良好的伙伴关系，有利于他们健康个性的形成。男幼师的刚强与勇敢，更是当前独生子女们所缺少的。男幼师的教育行为会潜移默化地影响他们，使他们由脆弱变得坚强，由执拗变得宽容，由孤僻变得合群。因此很符合儿童成长的心理趋势。"学校男教师少，就如同缺少父爱的"单亲家庭"，容易使孩子的心理、思维出现缺陷。

另一方面，很多学校要求孩子循规蹈矩，把女生的行为视为榜样，并以此为标准来衡量男生。在不少中小学，男孩子甚至被要求不能跑、不能跳、要像小姑娘一样乖乖听话……这本身就是对男孩子的一种误导。

社会

正如前面提到的，社会文化也在引领着家长对子女的教育方式。我国目前的现状是：一方面市场化的现代社会，竞争日趋激烈，男人和女人同样在职场中打拼；另一方面计划生育政策推行近 30 年，在我国的大城市，99％以上的家庭是独生子女家庭，而重男轻女的观念还在起作用。

所以一方面，家长目睹升学以及就业等方面的残酷竞争，为了增加女孩生存的砝码，提早给女孩打"预防针"，以男孩的标准来养育女孩，把女孩教育的越来越强势；另一方面，很多独生的男孩受到整个家庭无微不至的呵护，在家长的溺爱下，养成了文弱、多愁善感、"娘娘腔"等不像男子汉的习气。

走出性别平等的误区

教育的性别趋同化是否就是性别平等的表现？按性别来教育子女是否意味着性别歧视？这个问题颇为严肃，但也许聪明的家长愿意做较为深层次的探究，因为这与我们的教育是息息相关的。

焦点或许集中在女孩的教育问题上。现代的女性正处在两难的境地：一方面社会要求女性自强、经济独立；一方面女性又不能摆脱传统固有的观念，事业有成而家庭失败的女性并不被认为是成功的。这样的结果是，女性被迫两头兼顾，不但要顾及家庭，还要有一份事业作支撑，放弃事业的女性会被认为是放弃自我，而陷入不安全感，专

男孩穷着养
女孩富着养

注事业的女性还要面临就业性别歧视的问题。女性在这样的矛盾里进退维谷，社会却把"男女平等"的口号喊得震天响。

问题到底出在哪里呢？这是很多人都意识到却无暇思考的现状：家庭以外的世界一直由男性长期占据，已经形成了一整套有着明显男性化色彩的工作体系，女性从事职业只能加入其中。那些有着成就需要的职业女性在男人的世界里打拼，就被迫以状似男人的面目出场。社会处在男性框架结构中，女性期待社会的认同，就会出现"雄化"的倾向。就"女孩男养"的教育倾向而言，这看似是一种性别平等教育，实际是被有意"塑造"出来的——社会仍然是用男性文化来看待女性，女性表面上追求中性、独立，但骨子里仍然是依附男性来设立标准。这样的教育被戴上性别平等的光环，是应该被质疑的。

当女性的独立意识被人为、过分的拔高，她们的内心深处却难以消除自己在心理气质上的阴柔倾向，对男性世界的认同与排斥、对外部世界的参与与逃遁是现代女性正在面对的窘境。女孩如何在以后的成长中处理好这些矛盾，恐怕是家长需要解决的难题。本书在以后的章节中将有所阐述。

以上都在讲女孩受歧视的问题，男孩的家长可能松了一口气，这些家长可能没有意识到，其实男孩也会面临被歧视的境遇。尽管女孩在职场可能遭遇歧视，但是在进入大学以前，女孩相比于男孩有更大的优势。目前，在新课程改革背景下，虽然中国的教学指导思想已由知识传授型开始向能力培养型转变，但大多数教师仍然是在素质教育的大旗下行应试教育之实，这在很大程度上是有利于女性优势发挥的，而男孩优势相对容易被抑制。上面的"学校"因素环节，我们已经提到了这一观点。当一切评价都围绕提高考试成绩，与此无关的一些课程就容易被忽略了。学校教育重记忆，轻分析，重灌输，轻方法，纸上谈兵多，真正自己动手操作的机会少。所以尽管男生到了初中阶段，逻辑思维、空间想象、动脑动手能力明显强于女生，这种优势却"缺少用武之地"。相反，女生则在这种反复训练、重复记忆和题海战术中得以较好发挥。男孩特性在学校得不到发展，将会对其心理健康产生很大困扰。这些男孩家长不能忽略的问题，我们也将在后面给予解答。

给孩子一张"明性片"

提到性教育，家长们可能首先会想到性生理教育，在中国传统思想的荫蔽下，这的确是一个令很多中国家长头疼的问题。性生理教育该怎样进行，以及它的缺失造成的诸多问题，都已经引起社会的关注。性教育的实施越早越好。家庭中温馨和谐的气氛，父母之间及与子女之间的所有亲昵行为都是给孩子最好的性教育。如果孩子从小就懂得性是一件好事，是正大光明的事，那么他就倾向于发育成正常、健康、幸福的成年人。

性生理教育是要结合性别角色教育来进行的。而这个方面往往被教育者所忽视。所谓性别角色教育，是使不同性别的人与社会关于性别的"原型要求"相适应，比如男性行为体现出阳刚之气，女性行为表现出阴柔之美。社会建构论认为，人的生理性别是天生的，即两性生理机能上的差异是先天性的；心理性别则是与社会交互影响的产物，它会随着时间和文化的不同而改变，男女在家庭生活和社会生活中扮演什么角色，取决于从儿童期开始接受的成人的影响和教育。

男孩穷着养
女孩富着养

38

通过性别角色教育，孩子认识到自我，也认识到他人和环境，从而明白自己要成为一个怎样的人，承担什么样的责任，如何建立自我的观念，如何尊重异性以及如何与别人交往合作。如果孩子在幼年时遭遇性别认同障碍，以致性别认同模糊，性别角色紊乱，长大以后的性取向就很可能受到影响。在上文中我们已经举了这方面的例子。

双胞胎兄妹志强和姗姗小的时候，爸爸妈妈带他们去游乐园，爸爸对姗姗说，因为爸爸是男生所以不能带姗姗去女生厕所。"那我呢?"志强问道。"你是男生啊，去厕所就不能让妈妈带。"对于这个"新身份"，兄妹俩觉得非常有趣，他们开始关心家里其他成员的性别，经常会把家里每个人都问一遍。

爸爸妈妈在生活中很注意培养儿女的性别角色意识。例如给志强的小人书是英雄故事，给姗姗的是《花仙子》;给志强买玩具枪、小汽车，给姗姗买绒毛玩具、芭比娃娃;教志强下棋，在切磋棋艺的过程中锻炼他的逻辑思维，教姗姗做手工，发挥她心灵手巧的优势。

但是爸爸妈妈也经常教育孩子们要向对方学习。比如家里突然停电，志强表现得很勇敢，帮爸爸妈妈找蜡烛，爸爸妈妈就高兴地表扬了他，还告诉姗姗要像哥哥一样勇敢;家里大扫除的时候，姗姗打扫得认真又干净，爸爸妈妈也会让哥哥向妹妹学习。两个孩子就这样在取长补短中健康地成长，大家都夸志强像个男子汉，但粗中有细;姗姗则是个新时代的姑娘，落落大方。

这对父母的做法是正确的。上文中我们提到的教育的性别趋同化，跟心理学研究中的"双性化"发展是不同的。性别没有优劣，但各有其特色，不论是男孩还是女孩，都应在发挥自己"性别"优势的同时，注意向异性学习，克服自己性格上的弱项，促进身心的全面发展和人格的完善。这跟不分性别的同一化发展是两码事。教育的性别趋同化可能导向抹杀性别差异的发展，"双性化"发展则是在保留本性别固有特征基础上，糅合异性优秀特征的发展。

提倡家长对孩子进行适当的双性化教育，与我们的观点并不背离。提供给孩子与异性玩耍、自然交流的机会，使男孩从中学会关心体贴他人及拥有细腻的情感世界；女孩则培养了勇气、自立精神及刚强的心理素质，孩子们既能认识并接纳自己的性别，又能善于吸收异性的优点，才是一种真正的性别平等教育。

需要指出的一点是，上文我们提到的中性化风潮，特别是"超女"的火热流行，恰恰反映了中国女孩双性化的倾向，这是女孩走向独立的一种正常反映，是以前中国社会女性所没有遇到的问题。

为差别欢呼

曾经有人把女人比作玫瑰，把男人比作白菜，意思是两者没有可比性：玫瑰不能和白菜比重量，白菜也无法和玫瑰争芳香。这种形容可能不是很贴切，但是却有一定道理。我们一直强调，性别没有优劣，但是不同的性别却有自己的优劣势，身为父母，我们更应该确信这一点。男孩有男孩的优点，女孩有女孩的长处，不论孩子的性别如何，只要教育得法，每个孩子都能发挥自己的潜能，施展才华。因此，父母不仅要承认孩子的性别，还要赞赏和喜欢，以与孩子的性别相一致的态度对待他们，给予与孩子的性别相一致的性角色行为要

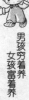

求，更重要的，是发掘孩子的潜力，把性别赋予孩子的优势充分放大出来，这样才能使孩子发展更宽广的自我实现空间。毕竟在这个社会，成功与否同性别并没有直接的关系。

本书中，我们大多从性别的角度来谈孩子的发展问题。当然，性别给予孩子的发展不是绝对的，正如我们所赞同的"双性化"教育，但是我们同样支持不同性别给予孩子不同优势的理论。男孩女孩该如何养？琴棋书画要不要样样精通？前面是性别教育的问题，后面则涉及全面发展的问题。然而事实上，这两个问题并不能截然分开。

大致来说，男孩擅长逻辑和推理，敢于面对挑战，喜欢变化，不怕冒险；女孩则稳定从容，心思缜密，有更高的语言天赋和交流才能。神奇的造物主赋予男孩女孩不同的特质，使得这个世界达到奇妙的和谐。当男孩和女孩学习适当具备异性的特质，以弥补自己的不足，这个世界又达到新的和谐。但是如果世界没有了性别的区分会怎样呢？可能会陷入一片混乱。事实上，性别是我们的天性，我们或许可以忽略，却不可能违背自己的天性，否则我们也许可以说，我们是在违背自己。仅仅从这个角度，我们就很自然地发现，要求孩子"全面开花"是不可思议的。这里要区分两个概念，一是全面，二是全能。前者是各个方面都涉及，但可能有所侧重；后者则是不分青红皂白的面面俱好。

正如性别所给予孩子的天生的特质，每个孩子都有与生俱来的潜能，尽管这与性别不是完全一致的关系。独具慧眼的家长，知道发掘孩子的潜能，并尊重孩子的潜能，让孩子做自己最擅长的事，自然健康成长，而不是主观代替孩子确立发展目标，更不是贪大求全，要求孩子"全能"。

秀秀是个农村女孩，小的时候因为家里穷，她没有得到上学的机会，所以不会读书写字。但是秀秀心灵手巧，有极高的绘画天赋，看见天上飞的大雁，河里游的鸭子，她都能栩栩如生的画出来。奶奶发现她的才能，就叫她学做女红，做一些刺绣的活，也可以补贴家用。

后来，城里的刺绣厂到农村招工，秀秀凭着一手好活计，顺利地得到了这个姑娘们羡慕不已的机会。在刺绣厂，秀秀的才能得到更大的发挥，她不仅活做得漂亮，还经常出新，同事们还在熟悉手中的工作，她就已经拿出新的设计图样。就这样，秀秀一路"过关斩将"，成为厂里的总设计师，最后还成为副厂长。秀秀知道自己学问知识欠缺，所以虚心好学，在新的岗位上仍然做得很出色。

后来，刺绣厂因为某种原因而停办，秀秀便利用自己的经验，开办自己的工作室。工作室的生意很红火，事业越做越大，跟外商都有了往来。有一次，一个外商跟秀秀谈合作，请秀秀吃一顿便饭。席间，翻译请秀秀点菜，秀秀却客气地推辞了。这时，外商一行才惊讶地发现：原来这个远近闻名的女强人，竟然不识多少字。——可是这又有什么关系呢，在秀秀的领域，没有人比她做得更好。秀秀工作室里也有外语出色的大学毕业生，但却不是那个不可或缺的人。外商一行慨叹不已。

心灵手巧是一种天赋，记忆力非凡、做事有条理、富有幽默感、喜欢幻想、好奇心强、成熟稳重……这些固然与教育有关，但其中也隐藏着天赋。本书所说的天赋并不是常人所不可及的天才,而是指每个人所擅长的方面。并非每个孩子都有高智商,但每个孩子都有自己相对出色的地方,都有权得到适合自己能力的教育。父母作为孩子最好的天赋鉴定人,找到孩子的能力和兴趣所在,因材施教,将之发展成生存和竞争的优势,才是事半功倍的教育方略。

这方面一个有趣的发现是,美国最新研究结果表明,贫困家庭的天才儿童多于富裕家庭。这说明高投入未必换来高产出,教育更多是一个方法的问题。发掘并利用孩子天赋的教育不是加压负重式的开发智力的教育,更不是拔苗助长,而是创造适当的环境,让孩子的才能自然流露,自长自成。在这种教育中,家长的功利心应当让位于孩子的健康发展。

第 3 章
男孩穷着养

男人被寄予太多的期望。这种期望在他们还是孩子的时候就已经发生作用了。当一个男孩长大后要面临立业的压力，家长便会着重培养他们掌握这种能力。我们用「穷养儿子」来概括家长的做法，这里面的「穷」字，更多包含了不同于金钱的意义。

4. 男孩的生长蓝图

蛇、蜗牛和小狗尾巴做成的男孩

志强刚出生的时候，爸爸帮不上什么忙，主要是妈妈来照顾他。这个小家伙深深沉浸在妈妈的世界里，妈妈就是他的全部港湾。只要一听到妈妈的声音，或者看见妈妈在摇篮边看着他，他马上就脸上发光，没有什么其他事情能使他这么快乐。他对妈妈露出自己的第一个笑容，发出第一次咿呀声。遇到任何可怕的场景，他都立刻扑向妈妈的怀抱。

在 2 岁以前，志强和双胞胎妹妹姗姗一样喜欢娃娃。他们还喜欢跟着大人一起做饭、拖地板、晾晒衣物。对妈妈所做的一切都感兴趣。看起来，志强似乎比妹妹更离不开妈妈，妹妹都已经学会自己吃饭了，志强还要妈妈喂。

4 岁的时候，爸爸妈妈把志强和姗姗送进幼儿园。志强很喜欢幼儿园，因为这里有很多小朋友。这时候志强已经不玩娃娃了，他忙着跟小伙伴们做游戏，小偷游戏、战争游戏……所有运动型的游戏他都喜欢。他也喜欢上房揭瓦、下河摸鱼、爬树、满院子追逐，经常弄得伤痕累累的回来。

为了玩耍，这个小伙子起早贪黑，顾不上吃饭，就算跟大树和狗也能玩得不亦乐乎，即使在屋里，他也喜欢伴装中弹而跌倒。他在任何时候都喜欢进攻，连小树枝也变成进攻的武器，有一次他还把妹妹的芭比娃娃偷出去当武器，因此遭到爸爸的批评。

7 岁的时候，这对双胞胎兄妹上学了。志强在学校也玩得很愉快，但他似乎在学习方面不那么开窍。他读书费劲，写字出错，老师经常因此而大声斥责他，恨不能把知识输入他的头脑。不过老师并不知道，这并不是志强的过错——男孩子的左半球"阅读管道"通常没有那么畅通。好在爸爸妈妈知道这些，他们鼓励志强，培养他的自信，教会他独立思考和判断的能力，使志强渐渐找到了方向。

志强很有绘画的天赋，很小他就能画出很漂亮的玩具小汽车。他觉得画画太有趣了。另外他的物理成绩也很好。爸爸很支持志强发展自己的爱好，高中毕业的时候，爸爸建议他报考建筑学专业。这真是一个很棒的选择。志强发现自己在建筑领域如鱼得水。

男孩的天赋和弱势

出色的男孩　男孩自信、生机勃勃。他们喜欢集体生活，并善于

根据自己的实力来估计自己在所处集体中的地位，更喜欢主宰、控制环境。男孩喜欢竞争，在竞争环境中他会觉得兴奋，男孩也愿意接受挑战，甚至有不为任何理由就去冒险的倾向。

如果能够从父母身上得到充分的支持和爱，男孩会比女孩更早地走向独立。通过对6个月的男女婴的对比实验，可以发现，面对困难的时候，男婴已经开始试图通过自己的探索尝试解决问题的途径，而不是借助哭泣等手段。

男孩体内的睾丸素使男孩更具攻击性，心理学家称之为"有攻击性的小机器"。在运动能力方面，男孩的爆发力、动作速度和猛烈程度远远超过女孩。

男孩擅长抽象思维，具有很强的立体空间认知能力，4岁的时候就已经擅长三维空间的游戏了，这正是将来学习工程学所必备的技能。男孩在数学方面也有很强的潜能，比女孩子更容易理解复杂的数学概念。自然科学也是男孩的擅长。

男孩的目的性很强，他们会注重结果而不是过程。在复杂的情况下，男孩比较善于单刀直入解决问题，而忽视感情的因素。

男孩富有个性，他们喜欢张扬与众不同的做事方法，对自己的所作所为很有自豪感。

男孩擅长实践，所以他们总是把家里的东西搞坏，又突然间修好了许久不用的闹钟。

男孩的注意力相对要比女孩集中，他们擅长完成一件事后再做另一件事。

请在这些方面帮助他 男孩的所有感觉器官（包括直觉）天生要比女孩迟钝。触觉最敏感的男孩也比不上触觉最不敏感的女孩。在视觉方面，男孩对移动物体更感兴趣。在听力上，男孩的敏感度也大大低于女孩，所以有的家长会抱怨"为什么我的话你听不见"，而事实上男孩可能真的没有听见。

由于体内的睾丸素的作用，男孩对于某种需求或愿望，比女孩需要更快更及时的满足。因此，男孩的耐久力较女孩差，他们的注意力持续时间要比女孩短，做事也更毛躁，他们经常没听清指令就行动，因而错过很多重要步骤。如果家长希望男孩做什么，就要尽量用简单的语言，直截了当对男孩更有效果，不要期待他们对暗示有什么反应。

男孩的语言能力比较差，可能会比同龄女孩晚一年，在阅读方面，男孩会3倍困难于女孩。男孩比女孩更容易产生学习问题，所以补课班里，往往有2/3的男生。男孩不善于察言观色。家长可以通过给男孩讲故事、唱童谣的手段，帮助他弥补语言和阅读方面的不足。

男孩的发育比较缓慢，学会爬行、站立和走路都比较晚，他们身体发育的速度通常要到高中时才能追上女孩。

男孩的细微动作协调能力差，手工可能是男孩的弱项。扣纽扣、系鞋带、拿剪刀这样的动作，他们总是显得笨拙。男孩经常会因为书写差而失去信心，家长要多鼓励他们，让他们多拿铅笔或彩色笔涂涂画画，以提高他们的兴趣和信心。

男孩的需求满足点在哪里？

美国的艾里姆夫妇在名为《养育儿子》的畅销书中提到，男孩子最想知道的三件事情是："第一，谁是领头人？第二，规则是什么？

男孩穷着养
女孩富着养

50

第三，必须按规则办事吗?"因此，要与一个男孩建立稳固的关系，你首先必须是一个领头人，有相当的威望但是又和蔼可亲；其次，只制定可以实施的规则；第三，总是按规则办事。这是与一个男孩子建立良好关系的基础，在此基础上相互尊重以及彼此信任，男孩子会认为你是站在他一边的，他就会听你的。

　　这一观点非常有趣，我们甚至可以借助一个中国的故事来佐证。这个故事来自前段时间好评如潮的电视连续剧《大宅门》（及同名小说）。大宅门的主角白景琦是个生下来就不会哭的男孩，顽劣异常。他的母亲白文氏是个聪明又能干的女性，能够在京城医药世家白府大厦将倾之际，力挽狂澜，使白府走出了低谷，却没办法制服这个调皮捣蛋的儿子。在白景琦气走了好几位老师后，一位"论学问是国子监的监生，论功夫是神机营的武师"的季宗布先生成为白景琦的新老师。这位季先生看见"景琦弄块烧了的炭，放到胳膊上"，却不以为然地对白文氏说："我看这孩子挺好的。"他的理由是："孩子得管，可别管傻了，听话的不一定是好孩子，不听话的长大了未必没出息。"且看季先生是怎么"降伏"白景琦的：

　　景琦伸出了手，季宗布扬起板子刚要落下，景琦突然跃起抓住板子。季宗布毫无防备，忙用力攥住，景琦夺了两下夺不下，突然撒手从桌下抽出一把匕首向季宗布的腿上猛刺，季宗布一侧身一反腕夺下刀，抓着景琦的胳膊顺势往上一提，景琦右臂脱臼了，立即不能再动，疼得直咬牙……

　　屋里只剩下季宗布和正活动着胳膊的景琦。季宗布已然给他接好了胳膊，见他仍不舒服，便问："还疼么?"

景琦就自个活动着胳膊，仍不说话，也不看季宗布，满脸的不服。

季宗布道："去洗洗脸，跟我去吃饭。"

景琦没动，两眼凶狠地望着季宗布。

季宗布不再说什么，拿起筷子自己吃起来，只是漫不经意地不时瞥一眼景琦。

景琦仍死盯着季宗布。季宗布坦然地边吃边说："你甭俩小眼儿吧嗒吧嗒地瞪着我，我知道你心里想的是什么！"

景琦终于说话了："想什么？"

"你满脑子想的都是弄个什么招儿把我给治喽！告诉你，死了这个心！想治我？你还小点儿，来！"季宗布忽然伸出右手食指说："有本事的，用手把我这个手指头撅折喽！"

景琦一下子来了精神："真的？"

"真的。"

"两只手？"

"来吧！"季宗布一笑。景琦两只手齐上，夹住季的食指："我真撅了？"

季宗布点点头，景琦咬牙切齿拼尽全力开始撅，使劲儿使得全身乱颤。两只手撅一根食指，季宗布的食指像根钢柱一样纹丝不动。

景琦站起身拼尽全力终于无用，他一下子泄了气，惊异地望着季宗布。季宗布笑了笑接着吃饭。

景琦："你神了！"

"那当然！这叫功夫，吃饭！"

"你教我功夫！"

"不教！"

"怎么了？"

"你得先念书。"

"那你怎么练功夫？"

"你以为我光会功夫？来。"季宗布从布包里拿出《庄子》给景琦，"你随便翻开一篇。"

景琦好奇地翻开一篇。

"念头两个字。"

"物无。"

季宗布十分流利地背起来："物无非彼，物无非是。自彼则不见，自知则知之，故曰彼出于是，是亦因彼，彼是方生之说也，虽然，方生方死，方死方生……"景琦真的听傻了。

"方可方不可，方不可方可；因是因非，因非因是，是以圣人不由，而照之于天，亦因是也……"

季宗布滔滔不绝，抑扬顿挫："是亦彼也，彼亦是也，彼亦一是非，此亦一是非，果且有彼是乎哉？果且无彼是乎哉……"

景琦忍不住大叫："你真神了！"

这些片断非常精彩，我们从中看到，季宗布所展示的，正是男孩希望知道的"规则"，季宗布正是按照这些规则办事，更重要的，他证明了他有理由成为"领头人"，也值得白景琦的信任。当然我们不能略掉一个细节，就是白景琦接着发现，这位季先生就是当时把他从绑架者手中救出的侠士，这个举动有相当大的分量——没有什么比侠肝义胆更能征服小男孩了。

冒险、争吵、自吹、争斗是男孩的天性，这是性别赋予他们的力量和渴望。对于成年人来说，这股内心深处涌动的力量会演化成前进的动力，但对于男孩来说，如果没有正确的教育，这些只能是自然天性的表现，在缺乏正确引导的情况下，这些可能发亮的金子就被埋没了，甚至它们可能走向相反的方向。

男性的天赋使得他们更有可能追求财富、权力、名誉和地位，这并不仅仅是社会文化的影响。反过来讲，社会文化的形成与男人、女人在性别上的差异是有很大关系的。如果男人天生也被赋予子宫，那么这个社会可能会有完全不同的规则。

例如在语言交流中，男人倾向于提出建议和解决问题的办法。他们这么做的出发点（或潜意识）是表现自己的地位。因此，男人在和别人交谈的时候，通常不自觉地争上风，而给对方出主意会让男人觉得自己处在更优越的位置上。男人倾向于发表自己的见解，他们需要表现自己的长处、知识、能力和社会地位。

竞争是男人的天性，他们希望自己在竞争中博得头彩，这很重要。竞争性的追逐就是他们的生活，所以他们会把某一领域（尤其是事业）的成功（或成绩）作为生活的目标。事业对男人的重要性是很复杂的。对于在赛场上打网球的男人来说，中场休息的说说笑笑后面，每个人都在想下一步自己怎么做才能赢。

男孩的确是蛇、蜗牛和小狗尾巴做成的。性别赋予他们巨大的能量，但也不可避免地带来相对的劣势。不要奢望教育能够做到把他们重新编程，让男孩回归自己吧，父母的工作就是做一个好的领航者和

培训师。

社会与男孩

社会心理学家丹尼尔·科鲁格说："社会对男人的期望值非常高，给他们造成了巨大的压力，这是有原因的。在人类历史的早期阶段发生的行为趋向今天仍在发生。"科鲁格的观点是，在人类的早期阶段，女性在生殖繁育方面付出很大代价，男性则需要承担起让尽可能多的女性怀孕的责任，以便让人类繁衍下去。男性的压力在于需要获得尽可能多的异性青睐，为此男性之间就要进行激烈的竞争。当社会早已超越了这个阶段，竞争却作为一种男性行为方式流传下来。正如科鲁格所言："在男子中，存在着更大的危险行为趋势，男子最容易让自己处在麻烦之中。"

在传统文化中，男性被要求"修身、齐家、治国、平天下"，要在外面的世界谋生，并扮演一个社会地位比妻子高、赚钱比妻子多、更加坚强和勇敢的保护者的角色。然而随着社会的不断发展，主流文化出现了不同的声音。一方面，有钱有地位有名望不再是衡量好男人最重要的标准，另一方面，家庭生活的成功成为衡量一个男人人生成功与否的重要指标。当越来越多的女性选择走出家庭，也开始有一些男性选择做"家庭主夫"。关于此项问题的调查表明，分别有12.5%、61.5%、21.4%和4.7%的上海男性认为做"家庭主夫""很精彩"、"无可厚非"、"很可怜"、"很看不起"。

但是调查也显示了其他的方面。同样是上海男性，在回答"男人应否比妻子更有钱更成功"时，65.4%的被调查对象回答"是"。并有超过85%的被调查者认为，作为一个男人事业上要成功，其中坚信"一定要很成功"的占29.2%，"应该很成功"的占57.2%。

之所以选择上海作为分析的案例，是因为由于地缘、历史等因素，一直以来上海男性都以爱家顾家、尊重女性而且不暴力的特质而著称，这与其他华人地区的男性气质是不同的。然而即使在上海，调查数据仍然表明男性希望自己扮演社会的中坚力量。

传统仍在唱主角，社会对于男性扮演事业性角色的期望并没有改变。不管我们打出多么漂亮、前卫、新奇的口号，都不得不承认这一点。如果说女性在性别文化中一直处在劣势地位，那么从某种程度上说，男性也是性别文化的受害者。社会对于男性和女性的要求并未从根本上扭转过来，在对女性作双重要求（事业和家庭）的同时，对男性还保持着以前的高要求，并增加了新的标准（例如家庭），这势必会给男性带来相当的压力。

5. 男孩穷着养

从小偷总统到抢劫犯

15 岁的小汤已经记不清自己是第几次被派出所传讯了。这个被称为"小偷总统"的男孩已经有 3 年的"创业史",成昆、成渝、宝成诸铁路大干线上的大小车站,他背得滚瓜烂熟;南北大城市,他也几乎都游遍了。有人问他作案的次数,他答道:"谁记得清那么多,反正不下 1000 次!"

18 岁的时候,小汤开始"拓展"自己的"业务",他拉拢一帮"小兄弟","歃血为盟",成立了一个涉黑性质的少年犯罪团伙——"青花帮"。在这个帮派里,小汤拳头硬、胆子大,理所当然地成为"老大"。

"青花帮"不仅仅玩"偷窃的小手段",还开始抢劫财物,猥亵未成年少女,敲诈勒索他人。因为他们恣意横行,无所不为,附近的许多学生害怕受到欺负或想得到他们的庇护,也纷纷与他们接近,

"青花帮"的势力越来越大。

"青花帮"的胃口和胆子也随之膨胀，他们决定"做一笔大生意"，以提高威望。在小汤的策划和带领下，他们实施了一起抢劫杀人案，但是他们的行踪很快就被警方发现，警方顺藤摸瓜，将整个团伙一网打尽。

其实，小汤并不姓汤，但是没有人记得他的姓氏。他有家吗？他曾经有一个看起来幸福美满的家，但是在他 11 岁那年，母亲患肝癌去世，父亲很快就娶了个 17 岁的后妈，并从此对小汤不管不问。于是，小汤就开始了自己原本不该承受的"独立"生涯……

小汤的案例只是青少年犯罪案例中的一个。像小汤这样小小年纪就走上犯罪道路的孩子还有很多。在对这些案例进行调查的时候，我们发现了其中一些共同点：

犯罪低龄化　几年前，青少年犯罪的平均年龄还在 17 岁以上，而如今，十五六岁就已经是青少年犯罪的高发期。

团伙犯罪案件增多　在青少年的犯罪案件中，共同犯罪案件居多。他们三五成群，在学校极易形成"小团体"，相互影响，形成共同犯罪。

暴力性和模仿性　很多青少年在作案之前有严密的策划和分工，他们模仿电视上的作案方法，手段越来越残忍。

最让人心痛的是，这些青少年罪犯的背后往往都有一个破碎的家庭。据统计，父母离异家庭的青少年犯罪率是健全家庭的 4.2 倍。正是父母角色的缺失，使青少年找不到引导自己走向正确的力量，迷失了方向。

看，这就是父亲

对孩子来说，母亲角色的缺失是残忍的，而父亲的缺失所带来的困惑有时看上去并不那么明显。即使对一个健全的家庭来说，在传统的性别文化的驱使下，也常常会出现父亲角色缺失的可能。

父亲的缺失将会给孩子带来难以弥补而深远的影响。有人这样说："让一个男孩和一个合适的男人在一起，这个男孩就永远不会走上邪路。"十几岁的男孩出现犯罪的倾向，这可能与他在摇篮期就缺少父爱有关。摇篮时期得不到父亲的帮助，婴儿的许多技能发展就会受到限制和影响，导致情绪变化激烈，自我控制缺乏，因而长大后就会有较多的过失行为和反社会行为，养成比较偏激的人格。反之，如果父亲一开始就同孩子保持积极而密切的关系，孩子就会向健康的人格发展。大卫·斯托普博士在《与爸爸和好吧》一书中也提到婴幼儿时期父亲的作用：

（1）支持母亲。

（2）关心呵护孩子，使孩子能和除母亲之外的另一个人建立亲密关系。

（3）随时在孩子身边，使他可以离开母亲，建立自己的个性。

（4）当孩子对母亲感到愤怒和沮丧时，为孩子提供宣泄情感的"庇护所"。

（5）为孩子认识自己的性别角色奠定基础。

（6）孩子安全感的保障。

（7）为孩子将来的人际交往打下基础。

（8）为孩子树立亲子教育的典范。

正如女孩要从母亲身上学会如何发挥自己的女性潜能一样，男孩要从父亲身上学会如何发挥自己的男性潜能，所以，在父亲角色缺失的情况下，男孩的损失要大于女孩。如果男孩绝大多数时间跟母亲在一起，他就不知道怎样做男人，这经常是同性恋现象的先兆。男孩需要将自己心中蕴含的男性力量转化为对成就感的追求，这是一个培养"男子汉气概"的过程，在这一过程中，父亲的影响力要比母亲大得多。父亲可以更好地帮助儿子识别出自己这一性别的使命、特征，理解做男人意味着什么，将儿子从那种模糊的男性意识里"拯救"出来。

民族英雄林则徐幼时家境贫寒，父亲林宾日是一位以教书为主的穷秀才，他非常注重对儿子的启蒙教育，经常把儿子抱在膝上，教他读书。林则徐后来回忆说："每际天寒夜永，破屋三椽，朔风怒号，一灯在壁，长幼以次列坐，诵读于斯。"意思就是说，在冬季寒冷的夜里，北风怒号，在十分简陋的小屋里点一盏油灯，父亲教儿子诵读诗书。

即使在这样恶劣的条件下，父亲也不为金钱所动。一次，一位富豪用重金贿赂林宾日，让其保送自己的孩子上学，父亲严词拒绝。另外一个品行不好的乡绅请他去教自己的儿子，也被他一口回绝了。

一天，正在读书的林则徐看见母亲做女红扎了手，就放下书本对母亲说："您教我做女红吧，我也为家里挣点钱。"母亲听了儿子的话，很认真地回答："好男儿应该有远大的志向。这不是你要做的

事啊!"

"说得好。"林宾日走过来,拿着手中的《宋史·李纲传》说,"做一个好男儿,就得努力读书,向书中的好人学习,比如像这位李纲,说来也是我们的同乡。如果你能像他一样精忠报国,我们就很高兴了。"

注:李纲(1083—1140 年),宋朝抗金名臣。

有人对社会上有成就和无成就的人进行了比较,发现人的成就大小与父子关系有密切关系。有成就者一般与爸爸的关系亲密;成就较低者则与爸爸的关系较疏远。如果父亲的作用被削弱,孩子就很难真正独立,并走出健康的人生道路。林则徐最终能够成为"开眼看世界的第一人",与幼时父亲对他的影响是分不开的。这种影响力是一种独特的存在,是任何人都不能替代的。

这种影响力并不总是呈现好的方面。西方一项对 3452 名死囚犯(其中只有 48 名女性)调查的结果显示,95% 的人都憎恨他们的父亲。有一个初二年级的学生,伙同他人多次盗窃某建筑工地装潢用的铝合金材料,并且公然放在家中再联系销赃给某废品收购站,其父不仅不及时制止和教育,反而用儿子的销赃钱供自己喝酒赌博用。如果父亲本身就存在不良行为,就容易导致孩子产生同样的行为问题。有关研究表明,父亲的不良行为与子女违法犯罪有密切的关系。如果父亲有赌博、酗酒、暴力犯罪、性生活放纵等恶习,不仅会给子女以消极的影响,而且会使子女直接受到感染,从而产生各种行为问题,甚至走上犯罪道路。

从某种意义上说,父爱是现代家庭面临的最大挑战。父亲角色不同程度的缺失以及负面的影响力往往带来灾难性的后果。需要补充的一点是，如果父子关系处理不当，一些积极的态度有时也会起到相反的作用。父爱是一种权威性的爱，但很多父亲都对"权威"的概念产生误解。有的父亲对孩子过于严厉，管束、干涉太多，使孩子缺乏与年龄阶段相匹配的自由，就会导致父子间的对抗情绪。对于儿子的管教，有些父亲采取简单粗暴的态度，常为一件小事拳脚相加，甚至大动干戈，这样的孩子最容易形成粗暴冷酷的性格，在处理人际关系的矛盾时很容易发生粗暴的攻击行为，并导致违法犯罪。

父亲的影响远不止这些。有一位老板这样表述他选择男性雇员的标准："我注意的首先是那个人和他父亲的关系。只要他得到过他父亲的爱、尊重他的权威，那他就有可能成为一名很好的雇员。"他还补充说："我不会雇佣一位反抗自己父亲的年轻人。他在我这里也会惹麻烦的。"这位老板的标准也许有失偏颇，但却反映了一个不能被忽视的道理：父亲所给予儿子的健全的男性作用模式，无疑是其在今后能够顺利发展的基础和推动剂。

下面是两种使父亲的影响在家中传播的基本方式：

榜样的力量

有一个人非常喜欢喝酒，每天下班后，他都要到附近的酒馆喝几杯，经常喝到半夜才醉醺醺地回家。

有一天，天空下起鹅毛大雪，下班后，他和往常一样向酒馆走去，走着走着，他听到后面发出奇怪的声音，回头一看，原来是放学的儿子。

儿子正顺着父亲的脚印走过来，他的小脸因为兴奋而涨得通红：

"爸爸你看，我正在踩着你的脚印呢！这多有趣！"

儿子的话让父亲心头一震。他立刻意识到："如果我去酒馆，儿子顺着我的路走，也会找到酒馆的。"

父亲马上改变了行走的路线，向家的方向走去。从那以后，他改掉了喝酒的习惯，再也没有去酒馆。

在儿童的人格发展过程中，超我（道德化自我）和自我意识的发展是通过对父亲的自居作用（自居作用是弗洛伊德人格学说的经典术语）来实现的。对于男孩来说，自居作用就是通过克服恋母情结度过人格成长的危机，继而追随效仿父亲，以期将来也成为像父亲那样的人。

这一点足以解释我们刚才所举的例子。在那个例子中我们看到，有人格缺陷的父亲所提供的反面教材产生了如此恶劣的效果。父亲们可能没有意识到，你们的男孩就像一个永不停息的小雷达，正在专注地观察着你的一举一动，并模仿各种被你忽略的琐碎细节。如果你经常酗酒，那么你的儿子可能也是个酒鬼；如果你经常对妻子发火，你的儿子也会脾气粗暴；如果你不尊重你的父母，你的儿子也不会认为自己有必要尊重你。

身教重于言教。父亲的每一个眼神、每一句话、每一个举动都会被孩子记在心里。如果父亲自己行为不正，又怎么要求孩子呢？丰子恺曾说："孩子的心灵是最纯洁的，他们是身心全部公开的人，好的教育和坏的教育都很容易接受。父亲是孩子们的第一任老师，因此父亲对孩子们的影响是至关重要的。"

其身正，不令而行；其身不正，虽令不行。在这个问题上，丰子恺也做出了表率。例如：他要求孩子做什么都要认认真真，就首先要求自己做到。他写的稿子字字端正，需要涂改的地方也是标示得明明白白。他还不许孩子们乱放东西，东西用毕，必须回归原位，因此在他的房中，样样东西都一直放在固定的地方，很容易找到。

这种以身作则给孩子带来深远的影响。丰一吟后来在《回忆我的父亲丰子恺》中写道："失去父亲以后，我好比失去了一颗庇护自己的大树，从此必须自己另栽树苗。于是，与外界打交道的机会越来越多了。只有在这时候，我才体会到父亲对我潜移默化的影响，才认识到父亲的许多优点，才理解到我们从他身上受了哪些教育。"

父亲应该传授给儿子的气质和品格

南宋有个叫刘子真的太尉，他"清身洁己，行无瑕玷"，几十年如一日。

一次，他有事去找以"奢侈糜烂"著称的石崇。上厕所时，见里面装饰得富丽堂皇，使人眼花缭乱，还有两个婢女在厕所里手捧香囊侍立。见这情景，他立刻退了出来，以戏弄的口气对石崇说："真对不起，我错走到你的内室去了。"

石崇洋洋自得地回答说："没错，那正是我的厕所呀。"

刘子真却说："贫士不愿上这样豪华的厕所。"便走到另外的厕所去了。

刘子真有个儿子叫刘夏，在一个村镇上当个小官。按说父亲的品行他是看得见的，但他"不学无术"，整天吊儿郎当，后因贪污受贿而受到制裁。刘子真也因此受牵连被罢官。

有位好心的同事问："你为什么不教育你的孩子像你一样廉洁清直、品行端正呢？"

刘子真听了，不解地说："我吃住在家，与他朝夕相处，难道我的所作所为，儿子看不见吗？我品行端正，是我自己这样做的，不是祖上叫我这样做的，难道他的行为，非要我说教不成？"

那位同事听了，认真地说："原来，你只注意自己的品行，却不去好好启发教育孩子，你错就错在只注重身教，而不注重言传。言传身教是不能偏废的啊！"

告诉孩子怎样做对，怎样做不对，循循善诱，谆谆教诲，这就是言传；以身作则，用自己的行为影响孩子，这就是身教。可以说，每个父母不管你是自觉的还是不自觉的，你都在对自己的子女进行言传身教，都在强烈地影响着子女的成长。

作为父亲，当你在生活中努力扮演着榜样的角色，有没有想到，你希望你的男孩拥有怎样的气质和品格？谈到希望，父亲们会毫不犹豫地把自己心目中理想的男子汉形象套在孩子的头上，虽然父亲们知道，其中有很多是自己也做不到的。那么，下一个问题是，一个什么样的男人才够"男子汉"？换句话说，男子汉通常有什么标准？

这个问题很难回答。任何一个标准答案都未免失之偏颇，况且社会也在不断改变着对男人的要求。但是我们可以找到这样一些词汇，它们经常被用在男人身上，作为对他们的赞颂：

真实、深刻、敢为、风度、幽默、进取、浪漫、冒险、磊落、干脆利索、铿锵有力、堂堂正正、勇敢正直、宽容豁达、坚强智者、有责任感、真诚坦率、机智果断、强健体魄……

还有人写下这样的诗句：

当母亲带着疲惫的微笑将你捧给世界，/你已经是一座高山，是一片大海了。/性别交给你一副重担，指给你一条路，/对你说：走吧，你是男子汉……/因为你是男人，一生就要有所成就……/男人！光荣的性别！/这光荣的全部内涵就在于去承担责任和义务，/做出牺牲和奉献。

是的，下面这个小男孩被寄予厚望，这并不容易。对于父亲而言，言传身教不仅是一种责任，也是对小男孩最贴心的支持。要知道，男孩是"尚在接受培训的男人"，他们出于本能的行为习惯需要父亲的"循循善诱"，这简直是一门艺术。

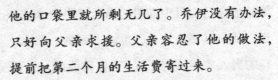

乔伊刚上大学时，父亲和他约定，每个月初给他寄500美元的生活费。

乔伊还是头一次掌握这么多钱。最初的一个月，他完全没有节约的观念，三天两头跟同学朋友在餐馆挥霍。结果这个月还没有过完，他的口袋里就所剩无几了。乔伊没有办法，只好向父亲求援。父亲容忍了他的做法，提前把第二个月的生活费寄过来。

然而乔伊并不觉得自己有什么不对。第三个月刚过了一半，他就"预支"了第四个月的钱，然后在第四个月开始不久就捉襟见肘。于是乔伊只好打电话回家："爸爸，我饿坏了，能把下个月的生活费给我吗？"

"孩子，饿着吧。"这一次，爸爸很干脆地拒绝了，没有任何商量的余地。

生活真是太奇妙了。在那之后只有30美元的半个月里，乔伊绞尽脑汁节衣缩食，居然也熬过来了。

从那以后，乔伊学会了精打细算，他发现，其实只要稍稍节制一下，省掉那些不必要的支出，每个月400美元就够了。这样一来，他就可以省下一些钱，来做一些他喜欢的事情，譬如买书、CD以及捐款。当然，偶尔和同学到餐馆聚聚也是有必要的。

乔伊很快发现了这样做的好处。他的大学生活变得有意义了。为了锻炼自己，乔伊还开始利用课余时间打工，为全家赚到了假期旅游的经费。

乔伊从这件事中学到了什么？节约、做事有计划、追求目标和生活的意义、自立……或许还有更多。"孩子，饿着吧。"父亲说。这是只有父亲才能说的话，这种言简意赅的语言对男孩子是有效力的。

皮球与跳绳

爸爸要去体育馆打羽毛球，顺便带去了4岁的朱清和他的小表哥李勇。到了体育馆，爸爸跟球友打了个招呼，就给小哥俩借了皮球和跳绳，让他们自己玩。

爸爸一边打球，一边关注着孩子们。他发现小哥俩玩起来非常不一样：7岁的李勇做事一板一眼，而4岁的朱清却像个小猴子，一会将跳绳绑在双杠腿上当"秋千"，一会拿起皮球当"保龄球"，一会又将球网当成"铁丝网"，学着解放军叔叔匍匐前进，玩得不亦乐乎！后来竟然连李勇也模仿他来玩耍……

一对表兄弟怎么会有这么大的不同呢？我们回头看看孩子们成长的家庭：李勇的父母非常"注重"孩子的教育，对孩子很"用心"，不但在生活上照顾得无微不至，还给孩子安排了很多的额外发展内容。李勇不到4岁就开始学钢琴、练书法，难得有"独处"的时间；朱清的父母却比较"粗心"，经常让孩子自己玩，顶多在必要的时候帮上一把，小朱清有很多自己的时间。

一晃10年过去了，李勇已经成为一个小钢琴家，他的作品经常获得青少年钢琴比赛大奖。他经常到外地参加比赛或表演，每一次妈妈都要陪在他身边。有一次国外一所音乐学院欣赏他的才华，把他特招为学院的学生，于是李勇远赴重洋，开始了异地的求学生涯。这一次，妈妈因为工作的关系，没有陪他一起去。然而只过了几个月，李勇就被学校退学，这是为什么呢？原来，李勇完全不能适应外国的生活环境，他不知道一个人在陌生的地方该如何生活，在强手如林的激烈竞争下，他很快就产生了严重的心理疾病，不得不回国疗养。

小表弟朱清看起来没有表哥那样有才华，但是爸爸妈妈很高兴他正在成为一个生机勃勃的阳光少年。有一次，朱清和同学爬山，摔伤了胳膊，同学惊慌失措，他却很镇定地联系医疗队，等爸爸妈妈闻讯

赶来，朱清已经跟同学有说有笑地准备回家了。这时朱清还不到
14 岁。

让我自己做

1993 年的一篇报告文学《夏令营中的较量》，在全国范围内掀起
了一场关于教育的大讨论。在这篇报告文学中，作者将矛头指向 1980
年前后出生的中国独生子女，这些孩子在夏令营中表现出的娇生惯
养，同日本孩子的独立形成了强烈反差。文章中有这样一个细节：面
对煮熟未剥壳的鸡蛋，一群中国孩子不知所措——"这是什么呀？"
有的孩子问。"是鸡蛋。""鸡蛋不是这样的。"孩子反驳说，他吃的
鸡蛋是"白"的，如果这是鸡蛋，那么该怎么吃呢？

这不是一个笑话。时至今日，当年的"小太阳"都已长大成人，
但他们所遭遇的问题仍然存在。如果把一捆小麦苗放到现在的城市孩
子的面前，或许还会有孩子告诉你这是韭菜。这有什么奇怪？因为没
有人告诉他们小麦是这样的，家长们在为孩子剥鸡蛋的时候，大概也
没有想到孩子还没有见过未剥壳的鸡蛋。

当我们抱怨现代的孩子更为脆弱、敏感、生存能力差的时候，我
们该反思的是不是自己呢？现实的状况是，现在的孩子从一出生，就
被爸爸、妈妈、爷爷、奶奶、外公、外婆团团包围，大人们将孩子视
为生活的中心，无时无刻不把孩子放在首位，他们关注着孩子的一颦
一笑、一哭一闹，给予孩子无微不至的照料，想方设法让孩子过得更
好。对于孩子来说，他们的世界总是热热闹闹的，面前总有一群为自
己"鞠躬尽瘁"的大人，甚至不知道什么叫需要——大人们早就为他

准备的妥妥当当……

　　著名教育家蒙台梭利女士曾提出"独立成长论"，把独立归结为所有生物自然发展的内聚力量。当家长们采取包办的教育方式，看起来是为孩子营造舒适的环境，实际上却剥夺了孩子独立成长的机会。这个道理很简单。特别对男孩来说，他们的发育比较缓慢，学会爬行、站立和走路都比较晚，如果家长仅仅因为怕男孩摔跤，就一直不让他学走路，那么男孩可能就错过了学习的最佳时间，而永远失去健步如飞的机会。男孩的细微动作协调能力差，如果家长仅仅因为男孩叠被子的动作慢，就抢过来帮他叠，男孩就会把叠被子视为一项不能为的事；再或者说，男孩的语言能力相对女孩差，如果家长在男孩刚开始学说话时就急不可待地代言，男孩就会对说话产生畏惧心理。由此可见，父母的包办其实是多么残忍！

　　孩子生理的各项功能尚未健全，心智也没有成熟，当然无法独立生存。然而，独立却是孩子自然而然的走向，是成长的主要目标和必备条件。孩子如何才能走向独立，成为一个真正的男子汉？除了尊重孩子内在的发展力量，父母的帮助（而不是代办）是重要的辅助力量。正如蒙台梭利女士所说："请帮助我，让我自己做。"没有什么比父母的帮助更有效果，也没有什么比孩子本身更有力量。

你来决定这件事

　　有一天，爸爸读到这样一个故事：一个女人将偷来的男婴交给巫师，要求巫师在这个孩子身上施展法术，用最凶残的方法报复深深伤害了她的男人。

不久，巫师告诉女人，他已经使用了最残酷的办法，请那个女人到指定的地方看一看。

女人看罢，勃然大怒，因为孩子居然被当地最有钱的富翁收养了！

面对女人的责问，巫师却说："不要着急，等着瞧吧。"

果然，许多年过后，就连这个女人也觉得过分了。原来，这个男孩在极其富有的环境中成长，并没有练就强壮的体魄和坚忍的意志，而且，收养他的这个家庭遭遇突然的变故而破产，男孩从锦衣玉食的环境里掉出来，根本没有面对挫折的能力，他软弱无能，生不如死，在徒然挣扎了一段时间后，终于绝望而疯狂地在铁路上卧轨自杀了。

正在爸爸掩卷沉思的时候，3 岁的儿子过来告诉爸爸，他要一个人到外面去。爸爸本来要阻止，却想到这个故事，于是他放缓脚步，尾随孩子出门，决定观察孩子掌握了多少自己保护自己的本领。

爸爸发现，儿子并没有自己想象得那么莽撞，他已经能够在确认安全之后穿越马路。从此以后，爸爸便开始了"独自旅行"教育，在儿子一年级的时候，就告诉他"有想去的地方都可以去，只是问路时，找穿警服的人最安全"，还鼓励儿子"回来时，要走与去时不同的路"。

儿子经过这些教育，小学四年级就能自己买车票、订饭店，独自一人出去旅行了。

不少父母这样抱怨自己的孩子："大人一刻也不能离开，一离开这孩子就不做功课，就思想开小差了。"但同时也有一些父母不存在这样的问题："我的孩子一直很懂事，他学习从来不用我监督。"

通过进一步分析比较我们就可以发现，前一种父母往往是对孩子"最不放心"的父母，他们在孩子小的时候陪着玩耍、穿衣、吃饭，大一些又接着陪读。在他们的过多干涉下，孩子渐渐形成了习惯，依赖性强，独立性差。后一种情况的父母往往给予孩子充分的信任和自主权，给予孩子"最少的指导、最大的耐性和最多的鼓励"，让孩子自动地产生尝试的喜悦，并坚信孩子能做到。——他们知道，孩子们会为这些话而激动不已：

"如果你想的话。"

"如果你真的希望。"

"你来决定这件事。"

"这真的取决于你自己。"

"这完全是你的选择。"

"不管你做出什么决定，我都没问题。"

"你来决定这件事。"——也许中国的父母很难真正做到这一点，尤其在男孩充满叛逆的青春时代。然而，这些话却让孩子们感动，他们做出了自己的决定，这是男孩们引以为豪的事情。更重要的是，父母们并没有横加干涉，他们相信自己（特别在男孩不自信的时候）！还有一点让男孩觉得安慰，他们知道父母并没有走远，他们正在背后默默地注视着他，并一定会在真正必要的时候出现。

这种信任让男孩觉得沉甸甸的，没有人愿意辜负这种信任。这些感情会转化为前进的力量，这往往就是大人们所谓的"学习意愿"。

思维与创造

在"男孩的天赋和弱势"部分我们提到，如果能够从父母身上得到充分的支持和爱，男孩会比女孩更早地走向独立。

当我们还在对女性的独立及其程度争执不休的时候，男性自身和社会文化都对男性提出了更高的独立要求。这不仅仅是文化的力量。正如前面提到的试验：当面对困难的时候，6 个月大的男婴已经开始试图通过自己的探索尝试解决问题的途径，女婴却通常借助哭泣等手段。当然这些不同只是性别上的差异，并没有优劣之分。男性更喜欢实践，喜欢尝试与竞争，他们喜欢这些过程中的思维与创造的乐趣。

当家长们告诉孩子"你来决定这件事"的时候，这种乐趣就开始了。举一个爬树的例子。男孩在爬树之前，首先会观察树的整体，判断这棵树是否适合爬，以及自己能否爬上去。如果能爬，男孩就会开始下一步：从哪里开始爬？能够爬到哪里？与自己的体重相比，哪根树枝最稳妥？怎么爬……需要确认的东西有很多，男孩从中获得了很多知识，可能有关力学、生物学，等等。家长们的态度则关系到男孩能否顺利获得这些知识，如果因为担心而加以阻拦，那么这个男孩就损失了这次机会；反之，男孩也许会掉下来，但是这又怎么样呢，这是男孩自己的选择，他知道下次如何才能避免掉下来。

爬树是孩子给自己寻找的问题。这些问题恰恰是激发思考和创造的源泉。如果孩子想要爬树，他未必只是因为想得到树上的苹果。苹果和奖杯的意义是一样的。如果孩子想要桌子上的小画书，但是却不够高；如果他想拿旁边的玩具，可是胳膊不够长；如果他想吃鸡蛋，可是手不够灵巧，父母该怎么办呢？有的家长会抢先行动："想要这个吗？来，这个给你。"所以，在父母过度呵护下长大的孩子，往往缺少"基础体验"——火柴怎么划？鸡蛋怎么剥？衣服扣子怎么钉？甚至，拖把怎么用？生活上的独立性缺乏带来思维的独立性缺失。生活"感觉"迟钝的孩子很容易信心不足，而"经验丰富"的孩子却不怕，他们已经有了很多次这样的尝试，很容易就会投入到新的实践中去。当独立解决问题让孩子感知到自己的力量，思维就成为一种乐趣。

问题激发探索的兴趣，答案显示思索者的独特。思维中充满了创造，这种创造是一种独特性的存在。对于男孩来说，他们更富有个性，喜欢张扬与众不同的做事方法，这种与众不同就是创造。4岁的朱清正是因为玩出了自己的花样，"一会将跳绳绑在双杠腿上当'秋千'，一会拿起皮球当'保龄球'，一会又将球网当成'铁丝网'，学着解放军叔叔匍匐前进，所以才'玩得不亦乐乎'，后来竟然连李勇也模仿他来玩耍！"如果"跳绳就是跳的，皮球就是拍的"，对于男孩子还有什么乐趣呢？大人们的规则无疑局限了孩子的思维独立性。

成长的空间

小的时候，志强看起来比双胞胎妹妹姗姗笨拙。他需要更多时间系鞋带、扣衣服扣子、拧瓶盖或旋开门把手。有一次，爸爸去幼儿园接志强和姗姗放学，看见孩子们正在给自己穿外套，姗姗很快就穿好了衣服，志强却慢吞吞的，怎么也扣不上扣子。

"哥哥快一点。"姗姗看见爸爸来了，不由得催促道。

志强的小脸憋得通红，可是一双小手就是不那么"听使唤"。妹妹一催，志强更着急了。

"穿一件外套可不容易。"爸爸笑着说，"可是儿子，你把衣服穿得很整齐呀。"

听到爸爸的夸奖，志强将信将疑，可是当他看到爸爸鼓励的眼神，情绪慢慢地平复了。

后来爸爸发现，志强虽然不如妹妹手巧，可是他每次都把衣服穿得整整齐齐，鞋带也系得平平整整。这个好习惯一直保持到现在。

爸爸知道，儿子的成长并不能同大人的效率相提并论。如果可以让孩子感觉到理解和支持，不以丧失信心为代价地学习，慢一点又如何呢？效率是孩子的敌人。对于男孩而言，学会扣纽扣、系鞋带需要更多的努力，这并不容易。爸爸知道自己要做的，就是给予孩子"最少的指导、最大的耐性和最多的鼓励"。

男孩需要成长的空间。这个空间包含两层含义：

学习的空间　本田宗一郎先生是日本大型企业本田科研公司的创始人。上小学时，他在班里是后进生，无论做什么都失败，成绩也不理想。然而，"正是因为当时的失败，才培养了我能独立思考、具有灵活性和创造性的大脑。"本田先生如是说，"从别人那里学到的东西与自己经过深思苦想得来的东西相比，其价值和应用的广泛性是大不一样的。"

学习的空间包括学习走路、认字、阅读、系鞋带、扣衣服扣子、拧瓶盖、旋开门把手、爬树……不要对他说"这么慢"、"不许失败"、"你真笨"、"我来替你做吧"之类的话，而应该放手让他自己做，并告诉他，"失败了也没关系"。虽然他很慢很笨，可是他正在学习，这是一项神圣的工作。

心灵的空间　漫画家蔡智忠从小就对漫画有浓厚的兴趣，刚上中学时，因为学校改建，每天只上半天课，蔡智忠便借着这个机会，天天往漫画书店跑。他的休息时间，不是看漫画，就是自己画漫画。

因为太专注于漫画，蔡智忠的功课一塌糊涂。英文第一学期才考了三十几分，代数勉强及格。等到第二学期，代数也挂了"红灯"。蔡智忠遭到了留级的处罚。

这恐怕是蔡智忠人生的第一次大挫折。父亲当然也十分失望，他知道，蔡智忠不是不聪明，只要他把精力的 1/10 用在功课上，就可以应付自如。

然而就在此时，台北的一家漫画出版社写信给蔡智忠，邀请他去画漫画。

蔡智忠很珍惜这次机会，但是他心中并没有底，他不知道父亲会不会阻止他。

晚上，他忐忑不安地走到父亲身后，轻声说："爸，我明天要到台北画漫画。"

父亲没有抬头，边看报边问："有工作了吗？"

"有了！"

"那就去吧！"父亲极其平静地接受了儿子放弃学业的事实。短短的十几秒钟，成为影响蔡智忠一生的重要时刻。

著名教育家陈鹤勤先生曾提出："凡儿童自己能够做的，应该让他自己做，凡儿童自己能够想的，应该让他自己想。"男孩有更多的独立性要求。对年幼的男孩来说，独立意味着父母的放手和支持，到了一定年龄后，男孩更需要一个身心都独立的空间，需要更多的自由可支配的感觉。

给予孩子自由并不是盲目的。作为男孩的家长，了解孩子，给孩子一个思考和历练的空间是必要的。正如蔡智忠的父亲后来说："对儿子的行为，其实我一直都很注意。我知道他的兴趣和天分，所以给他自由，事情只要认真做就好。"

我是奥特曼

健健4岁了，他跟别的小男孩一样喜欢玩追追打打的游戏，每天回家，身上总是脏兮兮的。让妈妈头疼的是，健健的衣服总是很快就穿坏了，有时刚穿上身的新衣服一转眼就被磨了个大洞。眼看夏天到了，妈妈觉得健健替换的衣服太少，就带他去商店，打算给他买件T恤衫。

商店里的儿童衣服还真不少，各种款式花样和质地的都有，妈妈打量了一下，心里大概有了主意，就故意问健健喜欢哪件衣服。

健健看来对买衣服并不热衷，他瞄了一眼货架，很干脆地说："都不喜欢。"

"这件不好吗，你看，有一道蓝边，你不是最喜欢蓝色的吗？还有一个可爱的卡通图案呢。"

"卡通不好看。"

"不好看吗？那你看看其他有没有喜欢的？"

这时，健健开始漫不经心地搜索其他货架，突然，他眼前一亮，迅速上前扯出一件 T 恤说："我喜欢这件，这件，有奥特曼！"

妈妈看了看这件体恤，果然在白色的底子上，印着一个红红的奥特曼。可是奥特曼图案非常粗糙，衣服的做工也不好，是典型的劣质廉价商品。

"这件做工不是很好，咱们换一件吧？"妈妈试图劝说健健，可是健健一副执著模样，表示就喜欢这一件衣服。妈妈不想打击健健的审美情趣，只好买下来，妈妈想，这件衣服做工粗糙，也穿不了多久。

回到家，妈妈像往常一样把衣服洗干净，衣服刚晾干，健健就迫不及待地换上新衣服，美滋滋地找小朋友玩去了。

"看，我的奥特曼！"健健看见小朋友，马上就说。

那小朋友立即挺胸回应："我也有奥特曼！"果然，他的鞋上也绣了一个奥特曼的图案。

这件"奥特曼"衣服成了健健的最爱，他破天荒地穿了很久都没有穿坏。妈妈不由得暗暗惊奇。

妈妈还发现，健健对奥特曼简直到了入迷的地步。看奥特曼的VCD 是健健每天必做的功课，同一集的奥特曼也经常拿出来"温故而知新"，而且乐此不疲！他还常常模仿电视画面，一手拿着奥特曼模

型，另一手拿着怪兽的模型，嘴里念着台词，让他们互相搏斗。那认真劲真让妈妈始料不及。

健健这么热衷于奥特曼，也有许多好处，有时候他赖床，怎么叫也不起来，妈妈就喊："奥特曼，怪兽来了……"健健就一下子来了精神，眯着眼睛在被窝里笑，过一会儿，喊一声："我是奥特曼，你是怪兽，嗨……"便从床上爬起。这一招每次都挺有效的呢！

健健还经常发扬"奥特曼"精神。有一次，健健看见马路旁一只小猫正在被几只大狗欺负，就很英勇地跑上前，大喊："我是奥特曼，你是怪兽，嗨……"几只大狗没见过这阵势，居然被吓得一溜烟跑了。这事让健健自豪了很久，可是妈妈有点担心，健健会不会因为逞强而遭遇危险呢？

男孩与奥特曼

"奥特曼"是什么？"奥特曼"是日本产的系列多集科幻片 VCD，为了世界的爱与和平，英雄的奥特曼兄弟屡次同怪兽作战，一次次在危难中拯救了地球和人类。自 1990 年"抢滩"中国以来，奥特曼在中国刮起了强烈的旋风。这个日本人家喻户晓的明星也成为中国小朋友喜爱的偶像、心目中的英雄。戴奥特曼面具、翻阅奥特曼画册书籍、参观奥特曼展览、观看奥特曼电视片、VCD 以及趋之若鹜地谈论有关奥特曼的话题，成为许许多多中国儿童的时尚生活。

对于孩子们喜欢奥特曼，家长、老师百思不得其解：奥特曼的造型并不好看，怪兽一看就是假的，动作千篇一律，情节也粗糙，孩子怎么就喜欢上它了呢？而且，奥特曼里充斥着打打杀杀，孩子会不会学得非常暴力呢？

　　我们可以从"奥特曼"的主题里探寻男孩们痴迷的原因。虽然奥特曼出了几十年十几个系列，奥特曼兄弟作战的对象也包括了宇宙外星人、机器人、海底生物、昆虫等近 1000 个怪兽，同时还配以宇宙、光年、恒星、空间站、宇宙飞船、马赫、万吨、红外线、时间、空间、速度、质量、光线等很抽象的概念，但是这些剧集都好像是一个模子里刻出来的，情节简单得让成年人不屑一顾。奥特曼的每一集都只为了清晰地阐述一个主题：善的胜利和恶的灭亡。

　　正义总能战胜邪恶，男孩子们就是喜欢看简单的战斗场面和旗帜鲜明的结局。对于男孩来说，没有什么比做英雄更让人振奋了。男孩们渴望自己强大，但又意识到自己在生理和心理上的弱小状态，他们希望得到安慰和激励，希望自己勇敢并被承认。当奥特曼依靠特异功能击败神秘而强大的敌人时，男孩们也在做着拯救世界的梦想。至于奥特曼情节的简单重复，正是考虑了这个年龄段男孩的生理特点，重复的阅读（或观看）对孩子有好处，这也是吸引孩子的最佳方式。

　　男孩们喜欢奥特曼也有部分是出于集体意识。正如我们在前面提到的，男孩喜欢集体生活，并善于根据自己的实力来估计自己在所处集体中的地位，更喜欢主宰、控制环境。小孩子也有自己的精神家园。尽管他们对信息的感知、处理以及判断都还稚嫩，但他们也已经拥有自己的小圈子，这是属于他们的集体。试想，如果幼儿园里其他小男孩都能将所有奥特曼主角的个人资料倒背如流，而自己却对奥特曼一无所知，那是多么丢人的事情啊！被排挤出集体的感觉可不好受。

　　家长们大可不必为痴迷奥特曼的男孩们担心。你们在这个年龄段

的时候，不是也喜欢铁臂阿童木和花仙子吗？这些卡通形象曾经为热爱幻想的我们营造了一个天真的世界，深深打动了我们的心，奥特曼也一样。

奥特曼诠释了正义战胜邪恶、团结、勇敢等积极向上的精神，圆了男孩们的英雄梦想，当这些精神演化为男孩内心的道德的力量时，男孩就会变得强大起来，成为真正的男子汉。这不正是我们期待的吗？

这才是我们要担心的

如果家长们还是不放心，建议你们把目光转向我们正面对着的文化环境，尤其是成人世界——究竟流行着多少要比奥特曼恶劣的东西呢？这些才是摆在男孩面前的危机。我们一再重复，社会文化是一把双刃剑。我们借助文化的力量把男孩培养成健康的男人，但是也要提防文化可能给男孩带来的伤害。

在这个问题上，电视作为现代文化的标志性符号，成为众矢之的。有的社会学家称电视是一种"暴力"，它堂而皇之地向整个社会群体"施暴"。从某种程度上讲，这种说法并不过分。美国人做过统计，在黄金时段的电视节目中，平均每小时有9个暴力镜头；在儿童卡通片中，平均每小时有21起暴力事件。琼安·安德森·威金斯在她的《改变看电视的习惯》一书中写道，典型的美国孩子一天大约看6个小时的电视。据她计算，当这个孩子长到14岁时，他或她已经目睹了1万1千起谋杀；高中毕业之前，他或她已经受到35万~64万个广告的冲击。

不仅仅是电视。荧屏上动辄拳脚相加、刀光剑影的武侠影视剧大行其道，我们的书店里也有太多的文学作品和光碟竞相用精细的暴力情节描写和血腥残杀场面来吸引读者眼球。暴力影视剧、暴力网络游戏、暴力文学作品、暴力卡通漫画……当文化中的暴力成为时尚，充斥我们的生活，这种文化便成为文化暴力。文化暴力对男孩的影响残酷而深远。

我们经常看到这样的报道：

两名中学生在班级卫生扫除中追逐耍闹，其中一位不小心将另一位的毛衣撕开一个小口，于是两人开始互相推搡争执。老师将他们带回办公室进行劝导，两人表示了和解。然而放学后，在其他同学的怂恿下，毛衣被撕破的同学再次追上对方要求赔件新毛衣，对方不答应，两人又扭打在一起。厮打中，毛衣被撕破者手握借来的小刀挥舞捅扎。被扎的同学颈部和左前胸各中一刀，因抢救无效而死亡。

中国的校园暴力案中大多采用砖头、菜刀等较为"原始"的武器，而在枪支自由保管的美国，校园暴力演变为校园枪击案。在这其中，哥伦拜恩中学凶杀案可能是最血腥的一次。在这场发生在1999年的枪击案中，两名学生哈里斯和克莱伯德，携带自动步枪，冲进校园疯狂杀戮，在短短16分钟内，杀死13人，后来在与警察的对峙中自杀身亡。

男孩的独立意识在逐渐增强，但他们的认识理解能力却相对滞后。他们认识问题片面、直观，而且易冲动，好感情用事，不能很好

地控制自己的思想和行为，喜欢刺激，易接受暗示，模仿力强……显而易见，他们对于糟粕文化的抵抗力是薄弱的。然而，文化暴力正在向青少年暗示一种英雄感。这种英雄感正是男孩需要的东西。那些暴力镜头不仅成为男孩犯罪的模型，还误导了他们的发展方向。那些宣扬暴力美学的电影让男孩们以为黑社会老大才是真正的英雄，继而盲目崇拜、仿效，学习他们利用拳头解决问题——如果文化中暴力成为时尚，凭什么让男孩认为这样做是错误的？

暴力文化只是我们阐述的一个方面。当社会处于急剧变革的时期，人类前进的脚步越来越快，我们发现有些东西开始渗透进我们的生活。有人说，真理根本不存在：无所谓对与错，善或恶。这样的理论让我们恐慌，但是它却在某个范围内大行其道。美国的詹姆士·杜布森博士将这归结为后现代主义。后现代主义者能与矛盾和平相处，他们一方面提倡"保持上帝的美丽漂亮的环境"，同时又宣称"婴儿还算不上是人，可以在最初的几小时或几天内把他们杀死而不受惩罚"。他们不认为自己的观点必须合乎理性，也不给予任何解释。

是的，男孩们面临机遇，也面对陷阱。父母需要认识到这一点，然后想想该如何减弱甚至消除不良文化对男孩的影响。男孩的爱好、经验、价值观念和所受的教育，都将在此受到考验。

男子汉是怎样炼成的？

一位父亲很为他的儿子苦恼。儿子都已经十六七岁了，却一点男子汉的气概都没有。无奈之下，父亲去拜访一位拳师，请他帮助训练儿子，把儿子培养成一个真正的男子汉。

"把孩子留在我这里吧"。拳师说，"半年以后来接他，我保证他成为一个真正的男子汉。"

父亲放心地走了。半年以后，他如约来找拳师，拳师便安排了一场拳击比赛来展示自己的训练成果。

与男孩对打的是一名专业的拳击运动员。运动员一出手，男孩便应声倒地。但是男孩很快就从地上爬起来，再次接受挑战。然而运动员的力量太强大了，男孩又被击倒在地……如此反复了很多次之后，拳师问父亲：

"你觉得你的儿子算不算男子汉？"

"我简直无地自容。"父亲失望地回答，"没想到半年过去了，他还是这么不经打。"

拳师却意味深长地说："我很遗憾，你只看到了表面的胜负，却没有看到双方实际力量的悬殊。你的儿子不畏强势，一次次倒下去又爬起来，这才是真正的男子汉气概啊！"

英雄并不只在童话中出现。世界上永远存在相对的强势和弱势。跌倒了再爬起来，这就是令人尊敬的男子汉品质。很难给男子汉品质下一个定义。我们所描绘的只是一些观点（在前文"父亲应该传授给儿子的气质和品格"部分我们已经涉及）。对此，詹姆士·杜布森博士的总结非常精彩："作为父母，我们的目标就是把儿子们从'不成熟的、反复无常的少年转变成诚实而有爱心的男人，他们尊重父母、

尊重婚姻、信守承诺，是果断有力的领袖、优秀的劳动者、保持着健康的男性气质’。”

我们希望眼前的"奥特曼"男孩将来成为真正的男子汉。这个男子汉不一定能拯救世界、捍卫和平，能从起火的房子里救出小孩，或者把抢钱的强盗赶跑，但是他每周回家看望父母，对工作恪尽职守，与妻子相亲相爱，是孩子佩服的好爸爸。他承担自己的责任，也快乐地享受生活。下面是我们愿意着重强调的品质：

仗义执侠，保护弱小　放学了，罗伯特和好朋友杰克一起回家。刚走出校门不久，就看到一帮孩子在打架。"我们也去看看吧。"杰克建议。

"不。"罗伯特摇头说，"打架是不好的行为，我们还是回家吧。"

"你真是胆小鬼。"杰克嘲笑罗伯特。旁边的孩子也跟着起哄，可是罗伯特并没有当回事。

过了几天，孩子们去小河边玩耍，一个不小心，杰克掉进了水里。

"救命！"杰克不会游泳，他慌了神，拼命地在水里挣扎。

孩子们吓坏了，有的跟着喊"救命"，有的躲得远远的，没有一点主意，就是会游泳的孩子也不敢下水帮助杰克。眼看杰克一点点下沉，形势万分危急。

就在这时，罗伯特从这路过，他看到这一幕，毫不迟疑地脱下衣服跳进河里，在关键时刻把杰克拉上了岸。

孩子们再也不嘲笑罗伯特是"胆小鬼"了。罗伯特成了孩子们心中的小英雄。

尊重女性　关于男性与女性的差异，我们已经进行了充分的阐述。对于成人来说，我们都有自己的关于两性的观点——可能同主流文化保持一致，也可能与众不同。问题的关键是，我们希望孩子们建立怎样的看法。

特别对于父亲来说，如果你提起女性总是带有贬低的口吻，如果你喜欢仅仅把女性当作一个性目标来讨论，那么你的儿子也很可能会照着你的路走，甚至把这种思想"发扬光大"。

然而，真正有智慧的成年人都知道，这种思想将影响到男孩与异性的交往，更严重的是，它不可能为男孩带来美满的婚姻。

不断提升自己的精神境界　有一个圣彼得堡的男孩，他个子很小，发育迟缓，经常受到高个子同学的欺负。为了赢得别人的尊重，男孩开始练习拳击，可还是经常被人打得鼻青脸肿。就在他的自信心越来越弱的时候，父亲建议他去学日本柔道，这一招很快收到了成效，过去迷信于一味用拳头说话却又屡屡碰壁的他，也因此开窍了——原来"讲道理"一样可以赢得他人的敬佩。柔道改变了男孩的性格，让他重塑了英雄梦，也教会了他永不服输和尊重对手与伙伴的精神。后来，这个叫普京的男孩成为了俄罗斯总统。

世界上没有不尿床的孩子，英雄也不例外。男孩只有不断从各种途径吸取精神食粮，使自己的精神世界更丰富、深刻，才可以使自身变得更博大，更有力量，并且能够完全掌控自己，而不受他人摆布。

强健身体，增加体能 运动保证了男孩的大脑获得更多的氧气和养料，使他们保持充沛的精力、注意力集中、直觉敏锐。对于迫切想成为男子汉的男孩来说，运动是他们克服生理和心理困难的过程，他们将从中培养健康的情感、增强信心、强化意志。

如果不够身强力壮，男孩怎么能成为"奥特曼"英雄呢？

他为什么不愿上班？

19岁的李明中专毕业了，可是他不愿意去上班，甚至不愿意走出家门。他非常自卑，害怕见陌生人，脾气古怪、暴躁，动不动就大发脾气，并以自杀相威胁。李明的父母为此苦恼不已——"要是有人让他工作，我给老板工资也行啊。"李明的妈妈如是说。

李明曾经是一个性格开朗、学习成绩优异的孩子，是什么原因导致他变成这个样子呢？李明的爸爸解释说："在他上初二时，班级评选班干部，他满心欢喜地以为能当选，结果老师没选他，反而选了比他差的同学。这件事对他打击特别大，他放学回来一句话都没说，直接躲到了屋里。第二天，他把这件事告诉我们，反反复复说了好几遍，当时由于工作忙，我们谁也没搭理他。"

从这以后，李明就像变了一个人似的，沉默寡言，对所有的事都提不起兴趣，不爱上学，也不喜欢参加班级和课外活动。甚至在街上看见同学和老师他都会立刻绕着走。

"如果当初我们能认真听他说，好好开导开导他，他就不会变成今天这样了。"爸爸懊悔地说。

然而事情一发不可收拾。初中毕业后，李明勉强考上了一所中专。父母为了锻炼李明的性格，让他与同学接触、交往，就坚持让他住集体宿舍。可是仅仅住了几天，李明就嚷着要回家。父母不同意，他就跑到网吧里打了一宿游戏，躲着寝室里的同学。无奈之下，父母只好把李明接回家。

中专毕业后，李明的性格更孤僻了，毕业两个月，他没迈出家门一步，有一次妈妈好不容易说服他，让他到公共浴池洗澡，可是他刚走到楼下，就突然跑回家躲起来，怎么也不肯出去了，说不愿意洗澡见陌生人。

"他天天在家躲着，说自己笨，不如别人，活着就是受罪。"妈妈流着眼泪说。为了不让儿子做傻事，她已经辞了工作，专门在家看着儿子。

李明的父母对孩子没有更多的要求。他们只希望儿子能够像正常人一样，健康快乐地生活。

关注男孩的情感表达

是的，每个男孩都喜欢竞争、好斗、富有攻击性、喜欢冒险、带着或多或少的英雄情结，可是这些东西不会毫无理由地贯穿他的一生。如果教育得当，男孩会把这些发展成优秀的男性品质；然而在相反的情况下，也许在父母尚未意识到的情况下，他们已经在向一个危险的方向迈进。

我们有理由相信，李明本来有可能成长为一个可爱的少年。他只

是在一个岔路口迷了路。要知道，挽救一个意志濒临崩溃的男人比培养一个健康的男孩困难得多。男性的先天因素并不能保证他成为一个优秀的男人（甚至很多人对天才也抱有怀疑态度，他们认为能力与智商无关），那些坚强的、具有保护力的品质是社会给男人的面具，也是男人们对自己的期望。然而，怎样让一个小男孩成为我们所期望的男人？在人们对这个问题普遍关注的时候，我们必须认识到这些小男孩身上所背负的压力。

"我渴望成为男子汉，我也想赢。告诉我该怎么做？"家长们是否听到了男孩们内心深处的声音？下面是男孩们表达情感的方式，家长们不妨"倾听"一下：

行为表达 得知自己的语文考试不及格，朋朋把自己关在屋里，用拳头狠狠地击墙，他的手为此受了伤。后来爸爸给他做了一个沙袋，于是以后朋朋在不高兴的时候，就会围着沙袋出气，把自己想象成一个出色的拳击手。

延迟表达 我们已经在上文中解释了男女大脑的不同。男孩也许在事情发生了很久以后才能明确自己当时的感受，这个时间因人而异。家长们需要耐心等待，有时追问并不是最好的方式。

找个洞穴 男孩有更强烈的独立性要求。他们常常会把家中的桌子下、床下当作"私人领地"，对于大些的孩子来说，洞穴可能指"秘密地点"，也包括心理空间。相比较女孩，男孩更喜欢自我调节。

目的性强 如果女孩向你哭诉，她可能只是想获得安慰，男孩则倾向于寻找问题的最终解决方案。如果妈妈病了，女孩更善于温柔地用语言抚慰，而男孩宁愿给你倒杯水或拿个药片。

哭 哭对于男孩来讲是非常正常的行为。男孩比女孩哭的少，但当男孩哭的时候，往往也是他情感最脆弱最需要安慰的时候。家长最错误的做法就是呵斥孩子："你哭什么哭，哪里还像个男子汉？完全是个小姑娘！"这样会使男孩心情压抑。

谁是头？我该听谁的？

打开男孩的心灵之窗，我们发现，男孩最希望知道的问题是："谁是头？"

接踵而来的问题是："规则是什么？必须按规则办事吗？"在"男孩的需求满足点"部分我们已经就此做了深入的探讨：男孩是天生的竞争者，他们希望自己在竞争中博得头彩，并把某一领域、尤其是事业的成功（或成绩）作为生活的目标。

李健的房间总是乱糟糟的。妈妈建议他收拾一下，他说："我不喜欢收拾屋子。"

"可是你不认为你的房间太乱了吗？"

"那有什么关系。"李健答道，"爸爸的书房也很乱啊。"

的确是这样。妈妈哭笑不得。她也建议丈夫收拾书房，丈夫跟儿子的回答是如此相似。不过，妈妈很快想出一个好主意。

"来一场比赛怎么样？我来打扫厨房，你打扫自己的房间，爸爸打扫书房。我们看谁干得又快又好。"

两个男人——爸爸和儿子都同意了。打扫完屋子，他们还建议去花园锄草："我们看谁锄的快！"

男孩穷着养
女孩富着养

90

竞争是男人的天性，各个年龄段的男人都一样。他们喜欢品味胜利的喜悦，这种天性策动男孩去追求成就，从而内化为成就欲。

因此我们看到那些男孩，即使他们还没有掌握挑战世界的技能，已经跃跃欲动，希望大展拳脚了。对征服的渴望促使他们投入到一场场"战斗"中，这些"战争"最初可能只是表现为海盗游戏。家长需要了解这一点，并认识到，成就欲是促进男孩充分发展潜能的重要动力之一。如果男孩的情感诉求被忽略，没有获得成就需要，或者说这种诉求没有被当成一种力量得到养成和提升，男孩就缺乏前进的动机，他们的潜能就难以被充分发展，甚至他们的人格也会受到损伤。

李明的故事就是一个让人叹息的例子。希望这样的事情不要发生在我们的男孩身上。所以，请倾听男孩的心声吧，并且试图与他们的脚步保持一致，他们需要洞悉关于成就、胜利、赢、竞争等词汇的健康概念。

下次你会做得更好

人们说，男孩是由蛇、蜗牛和小狗尾巴做成的——很难将那些组成男孩的神奇又乱糟糟的因素说个清楚。开始男孩并不知道什么是成就欲。他们知道有一些东西困扰着自己，但又说不出来。以下这些句子或许可以帮助男孩理清思路：

"我喜欢尽最大努力去做成一切事情"；
"我喜欢将我答应的事情办成功"；
"我喜欢在某个专门项目上成为最棒的人"；

"我喜欢我能自豪地说我解决了一个难题";

"我喜欢做一些非常重要的事情"。

如果这些信念占据男孩的大脑,我们就应该相信男孩会在以后的人生道路上克服困难,斩荆披棘。遗憾的是,当男孩们开始建立这些成就需求的时候,很多家长却起了反面作用。

杰瑞是个聪明的男孩,他很早就表现出过人的才华。3岁的时候,杰瑞已经学会了阅读和书写,这使得父母对他寄予厚望。

杰瑞活泼开朗,热爱生活,喜欢把自己的收获与别人分享。然而,性格内向的爸爸却很不喜欢他这么做。爸爸认为他骄傲自大,不够谦虚,经常为此批评他。

有一次,杰瑞又读完了一本有些艰涩难懂的书,他非常高兴,不由得高声唱起歌来。

"杰瑞,你又在嚷什么!"爸爸皱起眉头说,"读完一本书是很平常的事,你用不着那样高兴。"

"可是爸爸,这本书太令我愉快了,它那么难懂,可是我居然把它看完了!"杰瑞抬起头对爸爸说,他很想得到爸爸的肯定。

"哼,你以为只有你才有这个本事吗?你以为我会表扬你吗?你太骄傲自大了!"爸爸越说越恼怒,"不要以为自己是个了不起的天才。我可以告诉你,你什么都不是,只是一个笨蛋!"

爸爸说完这些,"砰"地一摔门,把杰瑞关在门外。杰瑞委屈又

伤心地哭起来。他不明白父亲为什么会这样。他只是想让父亲分享他的快乐，并肯定他。然而，他发现事情并不像他想象的那样。转瞬间，刚才那种良好的心理状态消逝无踪，代之而来的是一种极为糟糕的感觉：我是个又笨又蠢的孩子！

人们再也看不到杰瑞脸上那种快乐自信的表情了，这个本来颇有才华的孩子最终一事无成。

家长们可能带着惋惜和愤慨的情绪来阅读这个故事。消极的评价对孩子的伤害是如此大，它可以毁掉孩子的自信、乐观，将懦弱与自卑灌输进孩子幼小而脆弱的心灵。成就感对被伤害的孩子而言是奢侈的。一个对自己丧失信心的孩子怎么可能有所成就呢？

对孩子进行适时的肯定是重要的。这种肯定使孩子确认了自己的判断，对自己的能力感到惊喜，他的下一次努力就显得信心十足。当成就欲被一步步提升，孩子的潜力也被逐步发掘出来。

男孩需要肯定。肯定男孩就是给他提供最大的机会。男孩正通过父母的眼光看自己，父母的爱、理解、信任和鼓励是男孩的强心剂。特别在男孩遭遇挫折的时候更是如此。

7岁的小名已经是四年级的学生了。因为父母的教育方法得当，小名对学校的功课应付自如，甚至开始利用课余时间自学高年级教材。

有一次四年级组织运动会，小名报名参加了短跑比赛，可是得了最后一名。

小名难过极了，他还没受到过这样的打击呢！很长时间过去了，他还没从这种失意的状态中摆脱出来。

"儿子，还在为那件事难过吗？"爸爸问。

"是啊，我跑了最后一名，太丢人了。"

"可是你有没有想过其中的原因？"爸爸说，"你比同学们年纪小啊，他们的腿都比你长很多。"

爸爸继续说："我问过你的体育老师，他说你是同龄孩子中跑得最好的，这场比赛对你不公平。等你到'四年级的年纪'时，一定跑得比他们快。"

"爸爸相信下次你会做得更好！"爸爸最后补充说。爸爸的话很快让小名从失意中走出来。

在大多数情况下，儿童的胜任感和自卑感受到家长对他们成绩的反应的影响——男孩受到的表扬越多，他们对自己的期望就越高，就越努力，相反，受到的表扬越少，男孩随之产生的自我期望和努力就越低。当男孩受到挫折时，家长应该给予正向的回馈，帮助他们总结原因，提出改进意见并加以鼓励。责备和禁令是十分有害的。"你怎么这么笨呢？""这都是不听话的后果！"……家长的冷嘲热讽会大大加剧男孩失败的情感体验，进而打击他们的成就欲。

我赢了

人们在做一件事情的时候必有一定的目的，对于同一件事情，不

同的人也会有不同的目的。对于男孩来说，"赢"意味着什么呢？怎样才算是成功呢？常听有些家长说，"好好学习，将来挣大钱"，"考上研究生，找个好工作"。这些家长可能混淆了"成功"、"金钱"与"工作"的概念和意义。

当我国的运动员站在奥运会领奖台上看着国旗升起流出眼泪时，大概没有人说他们是为了冠军杯后的巨额奖金。成就、成功、胜利、赢……对男孩来说，这些词汇究竟代表什么呢？我们认为它具有下列含义：

不断发现、并充分发展自己潜能；

对适合自己的（或喜欢的）、具有挑战性的学习或其他活动有一种胜任感；

因为胜任，得到极大的心理满足。

在此，我们不能回避一些误区，对于以下观点的反驳有利于我们更好地阐述"赢"的含义：

人家的才能是天生的 心理学家到一所学校调研，校长请他帮忙鉴别学校里智力超常的学生。

"没问题。"专家愉快地答应了。他做了一个简单的测试，就把一群孩子叫到办公室，声称他们的智力非同一般。

被点到的孩子眼前一亮，兴奋之情溢于言表，他们回到家高兴地对父母说："心理学家说我是神童呢！"

孩子的父母也惊喜异常。他们没想到自己的孩子竟然是天才。

在学校里，老师和同学们也对这些孩子刮目相看。于是，这些孩子在家长的呵护、老师的关怀、同学的羡慕下迅速地成长。一年之后，他们果真显示出超人的才华。

这时，专家再次访问学校，这一次，校长很敬佩地问："您怎么会有这么准确的眼光呢？"

"可不要告诉他们，"专家笑了笑，小声对校长说，"我只是随便指指而已，其实他们跟其他孩子并没什么分别。"

在面对困难时，很多家长和孩子会用"人家的才能是天生的，我不行"来"安慰"自己。这种想法是成就欲的最大敌人。对此，日本教育家铃木镇一说："任何一个孩子都可以培养，但能力的大小与教育方法有关，不管谁都可以培养自己的能力，但其能力大小则与自己努力正确与否有关。"赢并不难，关键是怎么认识它。如果男孩能够发现自己的潜能并为之努力，并从中获得心理的满足，那么他就是成功的。父母大可对他说："你赢了，儿子！你真棒！"

我的孩子能成才吗　一天，妈妈带着男孩拜访一位钢琴家，希望钢琴家对男孩进行指导。钢琴家检测了一下，发现孩子的技术和感觉都很好。

"老师，我的孩子能成才吗？"妈妈焦急地问钢琴家。

"不，成不了才！"针对妈妈的提问，钢琴家意味深长地说。钢琴家的回答让妈妈回味了很久。

还有什么比让孩子做自己喜欢和擅长的事、让孩子健康成长更重要呢？"我的孩子能成才吗"里面包含着"如果孩子不成才我们就白费心思"、"我家的孩子能有指望吗"这样的功利思想，这种思想只会给孩子带上"成就焦虑"的思想包袱，从而在根本上偏离了家庭教育的方向。

有"成就焦虑"症的孩子，担心自己不能超越他人或被他人超越，使情绪持续处在一种紧张、不愉快状态，这种状态对孩子的成就欲其实有害无益。如何才能取得成就？当孩子把取得成就当做生活的目标，就已经偏离了发展的航道，误解了人生的意义，在这种情绪压力下，又怎么可能很好地发掘潜能呢？

我们有必要把"金钱"也纳入我们的讨论范围。抱有功利主义的家长，不会把金钱从孩子的"成就"里剔除。当然，从某种角度讲，我们不否认金钱可以用来衡量成功。但是这里有很多前提：金钱是合法取得的吗？拥有很多金钱让你觉得快乐吗？你是否为了金钱付出了健康的代价？等等。我们认为，把金钱作为衡量成功的唯一尺度是对成功的亵渎。真正的成功是对人生的一种完善，这种完善绝不可能以金钱代言。

志强与电脑游戏

"孩子们，吃饭了！"双胞胎兄妹志强和姗姗从学校放假回家了，家里一下子又热闹起来。妈妈可高兴了，给孩子们准备了很多好吃的，像糖醋排骨、葱油烙饼……桌上尽是兄妹俩爱吃的菜。

姗姗一直在厨房帮妈妈"打下手"，一边还喋喋不休地讲述着学校里的趣事，会说英语的食堂大师傅啦，蓝眼睛的外教老师啦……当然，还少不了图书馆里帮她占位子的男生。

直到该吃饭了，妈妈才发觉儿子那边似乎没什么"动静"。妈妈冲着志强的房间喊了几遍，志强也没有出现。

出去了？妈妈打开房间的门，原来志强正在聚精会神地、紧张地在电脑上忙活呢。只见他眼睛紧紧地盯着屏幕，肩膀高耸，手指在飞快地敲着键盘，摆出一副"两耳不闻窗外事"的姿态——不过他的确什么都没有听见。"耶!"不一会儿,志强突然挥舞双手,跳起来,大喊:"我成功了!"

真是男孩子。看到这一幕,妈妈轻轻地摇了摇头,理解地笑了笑。

志强一直都是个精力充沛的孩子。小的时候他就玩出很多花样,上房揭瓦、下河摸鱼、爬树、满院子追逐、把妹妹的芭比娃娃偷出来当武器、玩海盗游戏、跟小朋友抢积木、拆家里的闹钟、做火箭试验

……他的顽皮曾经让爸爸妈妈伤透了脑筋,甚至让老师把他从班干部"贬"为"平民"——那一次,志强发现自己没有入围新一任的班干部,很是沮丧,耷拉起脑袋,旁边的小朋友嘲笑他说:"谁让你顽皮呀!"这话一出,引得志强愈加火冒三丈起来,伸出小拳头就向旁边的小朋友挥过去,为此志强遭到了老师严厉的批评。

幸运的是,这个看起来似乎有点多动症的莽撞的小男孩有一对知识丰富、聪明的爸爸妈妈。他们理解小男孩的攻击性、冒险性和破坏力,懂得如何释放和引导小男孩的精力,对他的调皮捣蛋予以容忍,正确对待他的固执和发火,最重要的,是让他明白有些事情是可以做的,而有些却不能,还有,如何做一名真正的男子汉。志强在爸爸妈妈的关怀下健康快乐地长大,变成一个彬彬有礼,又富有朝气的小伙子。

有攻击性的小机器

志强曾经被认为是一个不懂礼貌的孩子。有一次，妈妈的朋友带着女儿来串门，刚一进门，就遭遇了伏击——躲在一旁的志强挥起手中的"金箍棒"向客人打过去，把小妹妹吓得直哭。

还有一次，志强跟同学良良扭打在一起，被老师揪到办公室。老师问明了情况才知道，良良把志强同桌小美的辫子拴在椅子上，让小美摔了个跟头，在家看了"奥特曼"的志强正摩拳擦掌，看到这一幕，就"理所当然"地把良良当作怪兽来"消灭"了。

教会男孩自律 从表面看，男孩的攻击行为有很多原因，也许是仗义行侠，也许是调皮捣蛋，有能让人理解的原因，也有一时间的头脑发热。不管怎么说，男孩的攻击性是潜在的因素—— 一个例证是，女孩一般不会出现类似的行为，即使在能力允许的情况下，大多数女孩也不会将暴力作为解决问题的方式，至于女孩的刻意攻击，则一般表现在语言上。

家长应该正确对待男孩的攻击性。在大人看来，志强欺负小妹妹是极不礼貌的行为，那么志强怎么看待这件事呢？他只是觉得好玩，礼貌对他来说还是一个比较抽象的词汇。家长们与其斥责孩子，甚至用体罚的方式，加深孩子对于这件事的认识，不如先用简洁的语言告诉他什么是礼貌，以及懂礼貌的孩子是好孩子的观点，然后在以后的生活中通过不断举例（例如公交车上给老人让座）加深他的"礼貌"意识。

给男孩灌输道德观、价值观是必要的。让男孩明白怎样做才是正确的，以后碰到类似的事情该怎样做。不要一味地对男孩大吼大叫，应该尊重男孩，并教会男孩懂得自己的宝贵价值——当男孩意识到这一点，就会自觉地学习用规范来约束自己。

对于孩子的自律教育不能一蹴而就。脾气急躁的家长更要认识到这一点。不良或经常性的处罚并不能让男孩认识到自己的错误，只会让他们感觉难堪、压抑和痛苦。

破坏王

漫画家蔡智忠四五岁的时候，有一次趁父亲不在，溜进书房玩耍。

看到桌子上的瓶瓶罐罐里的墨汁，蔡智忠玩兴大起。他拿毛笔沾满红墨汁，东寻西找"作画"的地方。最后，他选择了客厅通往书房的墙壁作为画板。片刻之间，一个个小圈圈组成的小人跃然墙上。

父亲回来后看到了蔡智忠的大作，不由得火冒三丈。他追着儿子，看样子要大打出手。然而，父亲后来并没有这么做，他只是骂了蔡智忠两句，然后居然给他买了一块小黑板和一些画笔。

蔡智忠喜出望外，从此，这块小黑板成了他艺术想象力自由驰骋的天地。

尊重男孩的"破坏能力" 如果蔡智忠的父亲没有给儿子买小黑板和粉笔，而是给他一顿打骂，我们现在是否还有机会看到那些精彩的漫画作品呢？也许，一位漫画天才的艺术生命就此夭折了，那将是多么让人惋惜的事情啊。

与女孩相比，男孩对于自己所置身的空间以及这一空间的东西，有着更为强烈的好奇心。同样是玩变形金刚，女孩可能会给玩具安排一个动人的故事，男孩却可能把它拆得七零八落。男孩可以找到很多种有创意的玩法。他们希望知道玩具的用途，以及它如何起作用。如果他们对这个问题没有搞清楚，就会不甘心地把玩具拆开来看个究竟。这看似破坏的举动显示着男孩的独特能力——曾经有调查表明，在拼图和组装其他三维物体上，男孩子的速度比女孩子快2倍，犯的错误比女孩子少一半。

是的，男孩有着想要触摸东西、并把东西拆开看个究竟的强烈愿望。当志强将妹妹好不容易搭造的积木"宫殿"一举摧毁，继而盖起一座造型独特的"建筑"；当他把爸爸的闹钟拆得一塌糊涂，却又奇迹般地重装好，还修好了其中的小毛病……爸爸妈妈意识到，这些破坏力的背后，隐藏着呼之欲出的天赋。对于儿子的破坏行为，爸爸妈妈并没有简单地采取"绥靖"策略，而是针对行为"一分为二"，既指出其中不对的地方，同时又为他找到更为合理的发挥渠道。

爸爸妈妈的一项举措，是把志强的爱好拓展到建筑领域。他们带志强参观各种风格的建筑，给他买图片书，跟他做搭积木游戏，看谁搭得最别致。志强发现这正是他想要的。他对那些"小房子"着了迷。在把研究"小房子"作为业余爱好的几年后，志强顺理成章地进入建筑学专业，他的天赋、创造以及知识积累让老师们惊讶不已。

再来一次，太刺激了

志强读高中的时候，爸爸买了一辆白色的"宝来"。哇噻，一辆车！对每天骑自行车上学的志强来说，这辆车简直"酷毙"了。志强对"宝来"充满向往。但是他太小了，还不到可以自由驾车的年龄。

志强太想去尝试一下了。他偷偷地学习驾车的技术，观摩爸爸的举动，从网上查找驾车的指导，终于在一个下午，他跟几个同学偷偷地把车开了出去。几个高中生把车开到海滨公路上，因为是旅游淡季，路上的人很少，甚至也没有发现交通警察。这种感觉太棒了！景色这么美，最重要的是，他们自己开着车！

天空下起小雨，好像问题不大。可是——突然，前面出现一个急转弯，志强猛转方向盘，两个车轮悬空，汽车急速地向着悬崖冲去。所有人都尖叫起来。然后，大家都不知道发生了什么，汽车开始后退，四个轮子着地，退回到公路中间。汽车终于停下了。

震惊过后，这帮小伙子兴奋得大叫："再来一次，太刺激了！"当然，他们没有再冒这个险，志强说他得把车原封不动地还给爸爸。

回家后，志强把车擦得很干净。爸爸出差了，妈妈也上班去了，没有人知道这件事。直到后来，志强拿到了驾照，才跟爸妈提到这件事。爸妈相视一笑，对他说："儿子，我们知道。当时我们多么担心你啊！"

　　给男孩系上安全带　男孩的冒险倾向经常让他的父母做噩梦。家长们不明白为什么小男孩那么不顾一切地往前冲。他们不知道前面有危险吗？

　　然而对于男孩还说，尝试更重要。如果一个 2 岁的小男孩想登上一个高高的童话城堡，没有什么可以吓倒他。妈妈说，你太小了，现在还不能玩这个。——如果不尝试一下，怎么知道我爬不上去呢？妈妈的说法显然没有说服力。男孩根本不理会这个。通常情况下，家长们只好拉着孩子离开。可是如果孩子想去爬，他可能会偷偷地采取行动。

　　做不到也要做，男孩就是这么固执。从襁褓期开始，他们就不像女孩那样心安理得地接受挫折，也不喜欢接受他人的帮助。男孩们即使明明知道自己力所不能及，感情上也不能够很快地接受，还是要坚持不断地尝试。这种冒险存在催化剂。例如一个骑单车的中学男孩飞车捡地上掉落的书包，只是为了在漂亮女孩的面前表现一下自己而已。

　　在安全的前提下，让男孩自己接受事实是最好的办法。家长不妨提供一些机会，让男孩自己去体验。如果最后还是不能做，男孩会自己离开的。这没有什么。但如果家长把他拉走，没有给他尝试的机会，男孩就会有挫败感。

　　对于父母的说教，男孩更倾向于接受从实践中得来的结果。其实，我们的小男孩也有自己判断问题的能力。他只是需要缓解情绪的时间。

停不下来的男孩

在"走出性别平等的误区"部分，我们曾提到男孩在学校里也会面临被歧视的境遇。我们谈到，中国的教学指导思想在很大程度上是有利于女性优势发挥的，而男孩优势相对容易被抑制。

男孩特性在学校里没有"用武之地"，不仅仅表现在学习知识的方面。本部分我们要谈到的现象是，男孩在学校里没有得到充分的精力释放。

有一位少先队辅导员收到一份来自35名孩子的"联名上书"，孩子们投诉他们的老师，在中队长的选举中诱导同学将选票投给一个老师喜欢的女生，而不是同学们拥戴的男生。对于这件事，被投诉老师振振有词："那位同学上课不遵守纪律，频繁提问，甚至离开座位跟老师争论，这么不听话的学生怎么能当中队长呢？"

这位老师的看法很有代表性。正如一名男生说："老师喜欢安静乖巧听话的女孩，不喜欢淘气、任性、有想法的男孩。"那么，如果"淘气、任性、有想法"被称为"不守纪律"、"不听话"，"听话"的男生又是什么样子呢？"我们的中队长就是个男孩。知道我们都叫他什么吗？我们叫他'姑娘'。"

男孩的说法切合了我们关于性别角色认同的观点。我们的教育在约束孩子的行动，试图将孩子们统一培养成"听话"的孩子。这样的教育可能不会给女孩带来困扰，但却给男孩造成问题（如果女生面临

男孩穷着养
女孩富着养

104

越来越多的问题男生，也难保不会出现问题）。男孩女孩怎么可能一样呢？换言之，如果男孩的性别表现同女孩一致，那么性别的意义又在哪里呢？童话大王郑渊洁说，我们的教育，就是给所有的学生穿上一样的鞋，然后让他们去走不同的路。他很形象地表达了孩子们的困惑。

上海市科学育儿基地曾经对前来咨询的4000多名小学生进行统计，其中男孩有"问题"的竟然占到70%以上。其中除了学习问题之外，更多的就是行为个性给他们带来的麻烦。

然而，这些"麻烦"真的是问题吗？它们应该被当作问题处理吗？对此，中国青少年研究中心副主任孙云晓说："当一个男孩体内的每一根神经都催促他去跑去跳时，他却必须坐得端端正正、把手背在后面听上8小时的课。"从生物学角度看，男孩一天大约需要4次课外活动，而在我们的教育中，男孩们能得到1次就算不错了。为了防止孩子们发生意外，学校往往采取限制学生行动的做法，校外活动自不必说，甚至在学校操场的活动对男孩来说也是奢侈。在学校里，男孩的天性并没有得到承认，他们在被强迫放弃自己的运动技能、视觉和空间技能，这样的结果是：随着时间的流逝，男孩们变得"安分守己"，而他们的特殊天赋也终于被钝化甚至扼杀。

同意刚才那位老师做法的家长不在少数。很多在学校里"停不下来的男孩"因为调皮而被勒令"请家长"，被请的家长则会为自己的男孩感到羞耻。他们并没有意识到，真正受到伤害的可能是男孩。或许男孩的行为是让人生气的，然而这些无奈举动的背后却隐藏着深深的悲哀：男孩们的精力得到释放了吗？如果学校没有给男孩提供这样的机会，家长们又是怎么做的呢？对男孩们表示理解和支持了吗？还是刻意忽略，让男孩把宝贵的课余时间用到学书法、练钢琴上去了呢？

提高男孩的耐心指数

男孩是精力充沛的，荷尔蒙带给他们攻击性、冒险欲和破坏力，释放精力是他们生活的方式，从中他们感受到成长和满足。如果男孩不能找到一个有创意的、合法的方式来获得这种感受，他的冲动就会以破坏性的方式表现出来；如果这种欲望受到压抑，男孩就会变得抑郁，自我贬低，并伴随一种痛苦的无助感。

聪明的家长们会试图帮助男孩寻找恰当的释放渠道，给予男孩充足的缓解时间，最重要的，是帮助男孩建立正确的人生观和价值观，这是他们最牢固的防线。另外，提高男孩的耐心指数也是必要的。

看起来，男孩子到处跑来跑去，片刻也不得安静。但这并不意味着男孩子们将来都是一副火爆脾气。事实上，男人们的性格差异还是很大的：有的是急脾气，很容易发火；有的却慢条斯理，性格沉稳。当然，很多因素会对一个人的脾气性格产生影响，例如下面的一些措施可以帮助男孩提高耐心指数：

重过程甚于重结果　正如成长没有速成班，任何事情都有其自然发展的规律。对家长而言，看着孩子成长就是一种乐趣，为什么不把这种乐趣传递给孩子呢？学习着是美好的，工作着也是美好的，没有过程的获得便失去了收获的乐趣。成长给予我们另外的启示是：由浅入深才是科学的学习规律。

坚持有规则的运动　运动的作用是神奇的。适度的运动不仅可以

男孩穷着养
女孩富着养

强身健体，对心情也有很好的调节作用。每天进行一定量的运动锻炼，也是对孩子耐心的考验和培养。

别对孩子过分期望 父母过分的期望往往会给孩子带来莫大的压力：你要考 100 分，要拿第一名……似乎孩子就是为了满足父母的欲求而存在的。孩子背负着这样的压力，焦躁情绪可想而知。

让孩子做自己感兴趣的事 父母最容易犯的错误是把自己的希望和要求强加给孩子，从而残酷地扼杀了孩子自己的希望和爱好。如果孩子对目前做的事丝毫没有兴趣，并且还带有被迫的情绪，又怎么会有耐心呢？

需要帮助吗？

妈妈到外地出差，途中不小心摔伤了脚。眼看返程的火车就要开始检票了，妈妈看着手中那只没有轮子的大旅行箱犯了难。

"需要帮助吗？"这时，一个关切的声音在妈妈耳边响起，妈妈抬头一看，原来是刚才乘坐的出租车的司机。

司机是个非常年轻的小伙子，有些黑瘦，刚才在车上，他曾经主动跟妈妈聊天，谈到了对一些问题的看法，让妈妈觉得这个小伙子踏实、肯干，颇有一些见地。

原来，刚才这个小伙子觉得乘客大姐行动不方便，还拿着这么重的行李，心里有些担心，想给予帮助，但又觉得大姐可能有其他的朋友，思来想去，最后还是不放心，索性买了张站台票，进来看一看。

"大姐，您坐哪一个车厢？"

"2 车厢 27 号。"妈妈回答。

小伙子二话没说，一手拎起妈妈的大箱子，另一只手扶住妈妈，把妈妈送到座位上，又把行李放得妥妥当当。

列车马上就要出站了，妈妈还来不及道谢，小伙子已经礼貌地道声"再见"，很快消失在熙熙攘攘的人群中。

"需要帮助吗？"一句简单的问候，让妈妈心里倍感温暖。多么可爱的年轻人！如果人人都像这个小伙子，少一些冷漠，多一些无私的帮助，我们的生活一定会变得更加和谐、幸福……

妈妈想到 4 岁的儿子，多么希望儿子将来也拥有小伙子这样的优秀品质啊！虽然妈妈平时很注意儿子的教育，把儿子的自然健康发展摆在重要的位置，但妈妈还是暗下决心，要把儿子培养成更为出色、拥有更多优秀品质、更充实的小男子汉。此刻，妈妈想起她在一本杂志上读到的故事，故事的题目是《最后一课》：

一位哲学家带着他的弟子来到郊外的一片旷野里，准备给弟子们上最后一课。哲学家问弟子：如何除去周围长满的杂草？弟子们陷入沉思，他们给出了各种答案，有的说用铲子铲草，有的说用火烧，有的建议在草上撒上石灰，还有的说要斩草除根，只要把根挖出来就行了。哲学家听完后，站起身说："课就上到这里，你们回去后，用各自的方法除去一片杂草，一年后，再来这里相聚吧。"一年后，弟子

们都来了，他们惊讶地看着眼前的一幕：原来的旷野已不再是杂草丛生，而是变成了一片长满谷子的庄稼地。弟子们终于明白了哲学家的"最后一课"：要想除掉旷野里的杂草，方法只有一种，那就是在上面种庄稼。

同样，要想让灵魂无纷扰，唯一的方法就是用美德去占据它。妈妈的小男孩是如此活泼、好动、喜欢冒险、具有破坏力、喜欢当英雄……他简直就是一台停不下来的小"捣蛋机器"，可是他渴望成为一个男子汉，他知道帮妈妈做家务、爱护小朋友，他在尽可能地做着他认为正确的事，虽然在很多情况下，他还没有成熟的判断力，也会为了一个皮球跟小伙伴打架，可是妈妈知道他需要帮助，他需要学会把自己乱蓬蓬的头发梳得整齐。帮助这个小男孩，就必须让那些可贵的品质占据他的大脑。高尚的人格是立身之本。是的，妈妈希望这些品质成为儿子生命中的一部分，当儿子碰到问题的时候，潜意识就会对自己说："这是我应该做的！"

正直

2003 年，非典在中华大地肆虐。非典重症患者正在与死神作艰难的抗争。有一天，患者梁先生从昏迷中醒来，恍恍惚惚看到一个瘦长的身影在眼前晃动，他要么俯身专注地观测患者呼吸机上的参数，要么神情严肃地与其他医生讨论着什么，汗水浸透了他厚厚的隔离服。这个瘦长的身影，成了梁先生那段阴暗日子里的一缕阳光，他坚毅的面容和专注的眼神，传递着一种信心和力量。梁先生最终逃离了死神，后来他才知道，这个人就是大名鼎鼎的钟南山院士。

作为广东省非典医疗救护专家指导小组组长，钟南山日夜为寻找病源和治疗方法奔波。在北京有关权威部门发布消息，宣布引起广东非典型肺炎的元凶是"衣原体"后，钟南山不畏权威，坚持认为不能盲从这一结论。后来的实践证明，他的据理力争是有科学根据的——由钟南山牵头的广州和香港专家的合作取得突破，初步认定冠状病毒才是本次非典的重要病源。接着，世卫组织也把这一结果正式公布于众。

面对人们的恐慌，钟南山亮相于媒体，讲解疫病，安定人心，郑重宣称非典型肺炎"可防、可控、可治"，然而，当一些人宣称"疫情已得到有效控制"时，他又一次以科学的态度提出"遏制论"；甚至，当他自己也染上疾病时，他以家为病房，悄悄自我治疗……

"也许，我这一辈子再努力也达不到钟南山的境界，他是我梦寐以求要成为的那种人。他是一个敢于忘我的、不辱使命的可亲可叹的长者，也是一个完美的酷哥。"央视名嘴王志在采访钟南山之后，感慨地说。

没有人能够质疑，这是存在于我们时代的关于男子汉气概的英雄故事。成就英雄的因素有很多，也许是成就欲，也许是表现欲……然而我们在钟南山身上看到的，是不畏权威、笃信科学与真理的情操，这是正直的品质在他灵魂深处的呐喊。我们有理由将这种品质作为男人气概的最佳注释。

正直是男孩首先要"种植"的那株"庄稼"。没有什么比它更富有魅力。

担当

一个11岁的美国男孩踢足球时，不小心打碎了邻居家的玻璃。邻居向他索赔13美元。那是在1920年，当时13美元可是笔不小的数目，足可以买125只生蛋的母鸡。男孩没有办法，只好去向父亲承认错误，请求父亲的帮助。然而，父亲却斩钉截铁地说，男孩必须对自己的过失负责。

"我哪有那么多钱赔人家？"男孩非常为难。

"我可以借给你。"父亲拿出13美元，"但一年之后你必须还我。"

于是，男孩开始了艰苦的打工生活。经过半年的努力，终于挣够了13美元这一"天文数字"，还给了父亲。

这个男孩就是日后的美国总统里根。他在回忆这件事时说："通过自己的努力来承担过失，使我懂得了什么是责任。"

在字典中，"担当"作为动词出现，意思是：接受并负起责任。我们没有使用名词"责任"，意在强调行动的重要性。责任不需要整天挂在嘴边，这是一种意识，我们希望男孩明白，在遇到事情的时候必须承担后果。

男孩从小学会"担当"，长大了自然就会有责任心。在这一点上，我们应该向里根的父亲学习，通过一些平凡的小事培养孩子的"担当"品质，让孩子意识到"担当"的重要性。都都的妈妈是这样做的：

有一次，都都发小脾气，把图画书扔在地上。妈妈就故意自己不捡，也不要别人捡。——如果都都当时不肯捡也没关系，就让书放在地上好了。

很快都都就平静下来，把刚才的事忘得一干二净，缠着妈妈讲故事，妈妈说："你不是把书扔了吗？妈妈不能给你讲了。"都都这时才开始着急，赶紧自己把书捡起来。以后的日子，他知道了扔书的结果是听不成故事，还得自己再捡，就不再随便扔了。

"担当"应该作为一种品质植根于男孩子的心灵。人们喜欢说"勇于承担（担当）"，其实，"担当"如果与勇气挂钩，就被忽略了其作为品质的根本。因为在一些特殊的关头，只有品质才会跨越思考的界限，自然而然地发挥作用。

大连市巴士司机黄志全，在行车途中突发心脏病，在生命的最后一分钟里，他做了三件事：把车缓缓地停在路边，并用生命的最后力气拉下了手动刹车闸；把车门打开，让乘客安全地下了车；将发动机熄火，确保了车和乘客的安全。他做完了这三件事，趴在方向盘上停止了呼吸。

黄志全只是一名平凡的司机，他在生命的最后一分钟里所做的一

切也并不惊天动地，然而许多人却牢牢地记住了他的名字。当一些人在为自己要不要承担责任而挣扎思考时，我们或许可以说，他们还没有完全具备这种高尚的品质。因为"担当"是男子汉的内在属性，不需要犹豫。

诚信

亮亮上高中了，学校采取的是半封闭式教育，要求学生统一住集体宿舍，每周末才能回家。

这可把亮亮愁坏了。原来，亮亮是个电脑游戏迷，玩电脑游戏是每天的必修课，学校不允许玩电脑游戏，怎么办呢？

亮亮开始频繁地请假，他的理由多着呢：我奶奶去世了；我爷爷要结婚；我大爷和我大妈举行"银婚"庆典；我姐姐要到国外去度蜜月……请假的次数多了，老师产生了怀疑，终于发现了亮亮的秘密。

老师严厉地批评了亮亮，并告诉亮亮以后请假必须交上有父母签字的假条。没想到，亮亮轻松愉快地就把有着父母签字的假条搞到手了。老师左看右看，看不出什么破绽，却又满心狐疑，便打电话给亮亮的家长。

没想到的，亮亮妈妈却说："亮亮是真的有事，老师你就准假吧……"

有一天，亮亮没有请假就自己跑出学校，老师非常着急，一边派人去找，一边给他家里挂电话。

接电话的是亮亮的爸爸。还没等老师把情况说完，亮亮的爸爸就说：

"亮亮在家呢。"

"——真的吗？"老师有点不相信。

"亮亮当然在家！"爸爸有些生气地说："他有些不舒服，正在家里睡觉呢！"

正在这时，老师看到两个学生陪着亮亮走进办公室。一时间，老师气得脸色发白，不知道说什么好，干脆就把话筒给了亮亮。

亮亮接过话筒，蔫蔫地说："老爸，刚才……我去了网吧，老师派两个同学把我找回来了……"

这是一个家长纵容并帮助孩子欺骗的故事，当诚信作为这个社会的时尚口号，我们大概不用再去重复它的意义，如何教育孩子，使之建立诚信的观念却是有必要提到的。古人说，从善如登，从恶如崩。在这个故事中，如果情况没有得到改善的话，它的结局将超过人们的想象。

男孩非常在意公平，他们讨厌作弊者。当亮亮的行为被公之于众，事情就会变得不好收拾。一个正常的男孩很在意自己在集体中的地位，他不能接受自己被集体排斥的局面，即使这种状况是因为自己的欺骗行为造成的。当然，有些男孩喜欢吹牛，这可能是因为他们的真实生活有点糟糕。但是当这种小把戏演化成欺骗，男孩还觉得理所当然时，危机就出现了。

父母的支持是这种危机滋生的土壤。有人开玩笑地说："假如您想让孩子学习您身上的一条优点，对不起，他可能终其一生都难以学到；但假如您想让孩子学习您身上的一条缺点，恭喜您，您的理想定能百分之二百地实现！"这句话的严肃意义是，家长的思想是孩子潜在的道德支持，正是家长的这种错误观念，致使孩子的道德滑坡没有回旋的余地，不得不走上异化的道路，最终演化为一种危机。

坚忍

香港特区原首席行政长官董建华是世界船王董浩云的长子。董浩云是香港屈指可数的大富豪之一，但他对孩子的要求却十分严格，从不娇生惯养。

董建华理解父亲的苦心，他读书的时候，过着十分简朴的生活，每天乘公交车往返于校园和住所之间，潜心于学业，从来不因为自己是船王的儿子就与众不同。

董建华毕业以后，舆论普遍认为董浩云会安排儿子到国外深造，或者在家族企业中执掌大权，没想到他却安排儿子进入美国通用汽车公司当一名普通职员。他对儿子说："小华，我不怀疑你是个有理想的人，但我担心你的刻苦精神不够，你不要想到自己有依靠，你必须自己主动去找苦吃，磨炼自己的意志，接受生活对你的种种挑战，并战胜它。"

董建华听从了父亲的安排，他在美国勤勤恳恳地干了4年，不仅学到了先进的管理经验，还学会了为人处世之道，培养了吃苦耐劳的精神，为今后的事业打下坚实的基础。

如此富门寒教，令人称道。国际舆论曾评论说："董建华是其父董浩云刻意雕琢的一颗明珠。"董浩云的刻意，不是倚仗自己的实力给孩子提供最丰厚的物质生活，而是对儿子进行"磨难教育"，他希望儿子通过吃苦感受到生活的不易和父母创业的艰难，进而激发出吃苦耐劳的坚忍意志。

与之形成鲜明对比的是，时下很多并不富裕的家庭，却往往是家长节衣缩食，却要孩子"什么都是最好的"。这对孩子的成长是极为有害的。一切以孩子为中心，不顾一切地保护孩子，唯恐孩子吃一点苦，实际是在剥夺孩子吃苦的权利，更可怕的是，孩子形成坚忍意志的机会也被残忍地剥夺了。父母能陪孩子走多远？这些孩子终究要走出"蜜罐"，走上社会，独自步入人生的考场，去应对那些永远无法料及的莫测风云。

坚忍是男孩不可或缺的品质，是男孩成长的助力剂。缺乏这种品质，男孩的铿锵有力、进取、冒险、敢为、豁达……都将成为过眼云烟。日本有句名言："除了阳光和空气是大自然赐予的，其他一切都要通过劳动来获得。"明智的家长已经认识到，在孩子性格形成的初期，适当设置一些障碍是必要的，让孩子少花些钱，多动动手，实际上就是在为他们今后的生活构筑坚忍的堡垒。

胆小的男孩

洋洋是个男孩，但是他从小就跟我们所描写的男孩子不太一样：5岁的时候还不敢一个人睡觉，即使父母陪在身边也要紧紧拽着大人的衣角才能睡；7岁的时候还不敢坐转椅、滑滑梯，大人陪着也不玩；9岁的时候还不敢主动跟人打招呼，说话的时候也是羞羞答答的；13岁的时候叫他爬四五层的梯子他的腿都抖；15岁了，爸爸叫他学自行车，他居然还吓得哭鼻子。

看起来，洋洋似乎比同龄的女孩还要胆小。洋洋的父母有些担心：怎么一个小男孩会那么胆小？应该改变他，让他具有攻击性吗？洋洋是不是患了什么疾病？

本书在阐述男孩的性格特征时，一直在强调男孩的攻击性、冒险性、竞争欲、控制欲以及集体精神，我们旨在说明男孩与女孩的区别，以及男孩可以利用的优势，但这些并不能代表所有男孩的性格特征。

男孩也会天黑不敢出门吗？也会不敢一个人睡吗？也会安静、细心、体贴别人吗？如果你了解人类性格特征的多面性和复杂性，就不会对这些问题感到惊讶。男孩的性格也是千差万别的。正如《余华评传》里谈到的作家余华和哥哥的区别，这段描述非常有趣：

余华和他的哥哥实在是一对美妙的"对立统一"，哥哥华旭天生爱动，常常是大错不犯，小错不断。只要有谁家的家长来他们家告状，一般情况下"祸首"都是华旭。而余华则恰恰相反，不但听话，而且胆小，几乎从不惹是生非。上幼儿园时，老师有时故意刁难一下这个胆小的男孩，在余华母亲来接他时，将他早上带来的草帽或鞋子不还给他，这时的余华便摆出一副特有的姿势：低头不语，也坚决不走——直到老师将东西交到他手里，他才肯跟上母亲回家。

这个倔强、内向、胆小的男孩日后成为一名出色的作家。童年时的经历给了他更为细腻和丰富的体验。"胆小并不意味着内心的绝对软弱。"对于男孩而言，没有一个统一的标准来告诉他们该如何释放自己的能量。但这并不说明他们不需要释放。那些看起来与众不同的男孩只是需要找到自己的能量释放点，通过释放获得自己独特的人生感悟。

有一位妈妈谈到自己的男孩，这个男孩平时看起来有点"窝囊"，可是在一个暑假，他和同学打起背包到内蒙古徒步旅行，走了3天，还拍了录像。这个男孩找到自己释放能量的突破口，他以行动消除了妈妈的疑虑。

男孩子们一定要怎么样？一个生硬的标准会让我们的教育走向极端。每个男孩都有自己的性格特质，也许有些特质不被纳入主流范围。性格截然不同的余华兄弟都找到了自己的能量释放点，并且找到了自己在社会上的位置（哥哥华旭日后成为一名经理人）。他们都是完完全全的男孩。

家长们的担心是可以理解的。但是家长的努力可能扭曲了孩子的发展轨迹。如果你的男孩天性内向，家长们对于"外向"的过分要求和训练会使他觉得痛苦。为什么不接受他的特质呢？让男孩自然发

展，他会找到属于自己的快乐天地。

必须指出的一点是，我们所谓的男孩特质与教育所带给男孩的错位的性别认同是两码事。关于后者我们已经做了充分的阐述。家长们是否有意"把男孩当成女孩养"？是否把男孩置于容易产生性别模糊和错位的环境？家长对男孩的保护是否太多？家长是否给予了男孩适当的自立自主权？这些都是家长们需要考虑的问题。后天的教育对男孩的影响是巨大的。家长教育失当所产生的问题不在我们为男孩特质的辩护之列。

冷漠的男孩

岩岩似乎缺少同情心。有一次，家里来了个小客人，不知为什么原因哭起来，爸爸妈妈赶紧上前问个究竟，安慰她，在一旁的岩岩却一声不响地自己摆弄桌上的拼图。还有一次，岩岩的妈妈病了，岩岩没有说一句问候的话，吃完饭后，就早早睡觉了。妈妈因此很伤心，觉得岩岩是铁石心肠。

前面我们已经提到了男孩表达感情的几种方式。与女孩不同的是，男孩很少直接用哭泣、言语来表达感情，而是通过一定的实际行为表露。像岩岩的妈妈病了，岩岩虽然"没有说一句问候的话"，但却"早早睡觉了"，这其实就是给妈妈一个安慰的信号，表示妈妈可以安心休息，自己长大了，不用妈妈操心了。

男孩的这种"行动表达"方式经常为自己带来误解。即使是成年男性也不能摆脱这个难题。最常见的误解是，陷入热恋的男孩被抱怨不会说甜言蜜语，不会哄女孩开心。当妻子希望得到鲜花，丈夫却为她买回蛋糕。

岩岩的妈妈显然也误读了儿子的情感表达。岩岩并非没有同情心，他只是不知道该如何表达，或者他的表达方式不被认同。他看到小朋友哭了，但是并不知道自己该做些什么，虽然他希望自己能够做些具体的事情，给予对方切实的帮助。小朋友为什么哭了呢？该怎样帮助她呢？这是家长需要帮助他解决的困惑。

认可孩子的感觉是必要的。弄清楚孩子为什么这样，才能帮助他解决问题。如果妈妈不但误读了岩岩的感受，而且自以为是地批评他，岩岩就会觉得很委屈，产生逆反和抵触情绪。反之，倾听孩子的想法，家长可能会有新的体会，从而能够有的放矢，解决问题。

既然男孩喜欢用实际行动表示自己的关爱，家长们不妨创造机会，有意识地培养男孩表达自己。例如对男孩说，花儿渴了，想喝水，男孩就会主动去浇花，表达对花儿的爱护。当他笨手笨脚地去做一些表达爱心的事情时，家长要给予肯定和表扬。

岩岩在这方面进步很大。有一次幼儿园举行晚会，小朋友们拿着盘子，排起队，去拿好吃的蛋糕。妈妈看见岩岩拿了两个盘子，就问：

"你想吃两份吗？"

岩岩回答说："我想给莉莉带一份。"妈妈回过头，看见幼儿园新

来的小朋友莉莉正孤单地坐在角落里，显得郁郁寡欢。

"是她让你带一份吗?"

"不，莉莉的爸爸妈妈都没有来，她好像不太开心，我想帮帮她。"

妈妈对岩岩的表现感到惊喜，她不失时机地大大表扬了岩岩。妈妈发现，岩岩越来越善于表达自己的感情了。

家长是爱心传递的使者。家长不仅要使男孩明白"爱"的真谛，还要鼓励男孩把那些隐蔽的情绪表达出来。被承认和肯定有助于男孩形成健康的心理状态。

说谎的男孩

又到周末了，妈妈像以前一样准备送小虎去数学补习班，可是小虎却说什么也不肯去，理由是班里有个同学欺负他。妈妈觉得这件事非同小可，就特地去了学校了解情况。出乎意料的是，班里根本没有小虎说的那个同学，而且同学们的关系非常好，根本没有人欺负他。

妈妈还了解到另外一个情况:上周补习班举行测验，小虎因为准备不充分，成绩很不好。老师分析，这可能是小虎不愿意来上学的真正原因。

妈妈跟在家休息的小虎爸爸通了电话，爸爸放下电话后，立刻把小虎叫过来问明了情况，事情果然跟老师猜测的一样。

爸爸妈妈非常生气，平时一直很注意对小虎的思想道德教育，小虎也一直表现得很好，这一次他为什么要撒谎呢？

妈妈希望跟小虎好好谈谈。可是面对妈妈，小虎却矢口否认了自己撒谎的行为，连跟爸爸说过的话也不认账了。母子的谈话陷入僵局。

小虎为什么会撒谎呢？我们看到，小虎撒谎的直接原因是数学测验成绩不好。我们可以理解为，小虎也有自己的苦衷。数学成绩不好会给小虎带来什么呢？老师的批评，同学的异样眼光，这是对小男孩的双重打击。小虎的谎言为他带来了逃离这种打击的机会。而且，他也不用把糟糕的数学成绩带回家了。

然而，小虎很快意识到自己撒谎了，而且他的谎言让自己陷入一种尴尬——他不仅没有掩盖住糟糕的数学成绩，反而还背上说谎的"罪名"。事情似乎越来越糟。

"我干了一件蠢事！"男孩子在心里这样对自己说，"我该怎么办呢？"

小虎已经在心里狠狠地责备了自己。但是妈妈的询问让他又一次品尝到这种痛苦。于是他本能地否认，企图避免让自己再一次蒙羞，但这却使情况更加恶劣。

小男孩逐步陷入谎言的危机，如何拯救这个孩子呢？

理解男孩　我们的分析或许有助于家长理解自己的男孩。没有男孩天生爱说谎。当小虎的爸爸妈妈一次次问起这件事，小虎越来越感到自己愚不可及，他的羞愧感越来越重，恨不得立刻钻进地洞里去。

男孩穷着养
女孩富着养

男孩只是没有把这一切说出来而已。他的心里已经对自己很失望了。

给孩子爱和支持　父母知道男孩犯了错，却懂得为男孩留点面子，没有比这更让男孩感激的了。父母的爱和支持是在保护男孩的尊严。当男孩感受到这些，他就会为自己的谎言而羞愧难当。他会打起精神面对自己的错误，来作为父母信任自己的回报。

教会男孩有勇气面对一切　大多数男人需要很大的勇气来面对说谎带来的羞愧感和孤独感。这才是他们不肯承认错误的真正原因。但是开诚布公是必要的。说出事情的真相对男孩是很大的考验，应该给他一些思考的时间。

适当的惩罚　男孩应该为自己所做的事负责。这是一种被我们称为"担当"的品质。

以身作则　给孩子讲解道德准则是很多家长的首选。家长们希望男孩首先明白自己做错了，错在哪里。事实上，家长们或许首先需要检讨自己：你以身作则了吗？你的生活中有没有"诚实"的漏洞？家长不自觉的谎言会在男孩的心里播下说谎的种子。

孤独的男孩

19岁的阿健刚进入大学，是学校的明星——他不但学习成绩优异，还是长跑健将。这个帅气的男孩很快成为女生们目光关注的焦点，然而他却似乎对女生不感兴趣。当身边的男生对女生评头论足时，阿健却把时间用在自习室和运动场上。从来没有听说过阿健喜欢过哪个女生，也从来没有见到阿健关注那些有关女孩的问题。

阿健的父母最初还担心他为爱情耽误学业，现在看来，儿子的表现很叫人满意。然而，一切似乎太完美了——是不是哪里出问题了呢？阿健没有"少年维特式的烦恼"吗？一个青春期的男孩却宣称他对漂亮女孩没有任何感觉，这正常吗？

更让父母担心的是，阿健似乎跟男生也没有什么共同话题。也许男生们觉得他太优秀了，所以刻意地孤立他吧。父母一直在为阿健的孤独找出原因。直到有一天，父母无意间发现，儿子曾浏览过同性恋网站……

同性恋是一个敏感的话题。即使抛开传宗接代的因素不谈，家长们也很难接受自己的儿子是同性恋的事实。

所谓同性恋现象，是指以同性为满足性欲的对象的现象。同性恋者经常受到与自己同性别的人吸引。从科学的角度讲，同性恋并非是一种疾病，而是一种生活方式。

产生同性恋的原因是多方面的。遗传因素和内分泌因素被认为是其生理根源。环境因素也是重要的诱因。正如我们前面讲到的，很多男孩在成长的过程中没有得到正常的性别角色教育，缺乏性别定位，没有及时完成性别角色认同，性心理得不到正常的发展，就会出现异性恋趋力的偏差。也有一些男孩，无法面对摆在男性面前的激烈竞争，在潜意识里排斥自己的男性角色、逃避作为男性的责任，从而成为同性恋者。

阿健是同性恋吗？仅凭上述的描写很难断定这一点。应该指出的是，青春期是一个性倾向方面比较混乱的时期，在这一时期中，很多

男孩穷着养
女孩富着养

男孩会出现"精神同性恋"或是"同性恋倾向"，这与真正的同性恋是有区别的。"我是同性恋吗？"很多男孩会有这样的疑问。这些男孩并没有刻意追求同性恋，却为同性恋问题所困扰。他们带着对同性恋的恐惧，内心充满对自己的怀疑，并为此而感到羞耻。他们并不知道，这些恐惧，其实代表了自己对于长大的恐惧和不安，以及对未来的担忧和缺乏自信，而这些只是青少年心理发展中的正常心理变化的范畴。

自然，这样的"同性恋"是可以被矫正的。那么，父母该如何帮助这些陷入麻烦的男孩呢？

正确认识和评价自己 对自己的过低评价和对未来的恐惧使男孩在潜意识里逃避自己作为男人的事实。这是男孩心理幼稚的表现。男孩们需要认识到，逃避并不是解决问题的办法。正确地认识和评价自己才是完善自己的最佳策略。当男孩们鼓起勇气面对一切时，会发现事情并没有那么难。

在人际交往中找到适合自己的位置 很多男孩像阿健一样在人际交往上存在障碍。正是这些障碍阻止了男孩找到适合自己的位置，并最终导致他们性心理的异化。如何与同性平起平坐、与异性主动交往？对这些问题的解答能够帮助男孩突破交流的困难，塑造健康的个性。

欣然接纳自己的性别 我们不再重复男性与女性的不同趋向。本书的诸多例子已经充分证明了这一点。造物主赋予男性和女性如此不同的特质，又使他们取得平衡，这是多么奇妙啊！男孩们应该欣然接纳自己的性别，并为此感到骄傲。当男孩做到这一点，也就为自己找到了关于性别角色的答案。

正确认识同性恋现象　如果男孩们对青春期出现的"精神同性恋"或是"同性恋倾向"有所了解，就不会再为自己的困惑感到惶恐和羞耻。对同性恋现象的正确理解有助于男孩们走上正常的性心理发展道路。同时，我们不能回避另一个问题——有些男孩从 12 岁起就意识到自己跟别人不一样。这些男孩并不想改变自己的性取向，他们并不为自己的选择感到羞耻。真正困扰他们的是社会上的异样眼光，以及那些不肯认同和接纳他们的人们所发出的质问的声音。纠正人们对同性恋的偏见是困难的，这意味着男孩们要走更长更艰难的路。对于这些男孩来说，孤独成为生活的伴侣，而尊重和理解是他们最渴望的安慰。

第 4 章
女孩富着养

女孩子啊，重要的是一个健康的心态，一个温柔贤惠的性格，一个干净健康的身体，这就好了。我们这里的富养女孩并不是让女孩娇生惯养，而是如何培养出一个身心健康的女孩。使女孩见多识广、独立、有主见、明智。很清楚自己要的是什么，什么是自己真正值得追求的东西，从而能够坚守自己的信仰而不被外界势力所左右，失去真我。

6. 女孩的生长蓝图

糖、香料和所有美好的东西做成的女孩

姗姗似乎从小就比双胞胎哥哥志强更讨人喜欢。她安静、合作，妈妈刚把她放到小床上她就能睡着，而志强还在一旁吵个不休。姗姗喜欢跟人说话，爸爸刚刚走进房间，她就开始咿咿呀呀，好像在跟爸爸说些什么。当爸爸抱起她的时候，她会花更多的时间与爸爸对视，然后露出可爱的微笑。

当志强还在橱柜里爬进爬出、乱动炊具上的开关、说不出一句完整的话时，姗姗已经可以跟人聊天了。3 岁的时候姗姗已经表现出不同寻常的语言天赋。她可以说出长而复杂的句子，口齿伶俐，反应敏捷，经常充当哥哥的发言人，因为此时志强还在笨嘴拙舌地说不清楚自己想要表达的意思。

姗姗不喜欢海盗游戏、变形金刚和玩具枪。她喜欢洋娃娃、毛绒玩具和厨艺玩具。她跟洋娃娃做游戏，给自己安上不同的角色——有

时她是小妈妈，有时是小老师，有时是医生或护士。她把妈妈的丝巾系在腰上，宣称这是自己的围裙，然后她拿着厨艺玩具跟小朋友们玩得不亦乐乎。她也喜欢玩跳房子和跳皮筋游戏。如果她玩积木，就会稳妥地搭一个小房子，并幻想自己能够睡在里面。这些游戏并不需要很大的空间，家里的大客厅就足够了。

跟姗姗住在同一个大院里的小玲是姗姗最要好的朋友。她们年纪一般大，同时进幼儿园，后来又进了同一所小学、中学、大学，后来她们又在同一个城市工作。这对小姐妹形影不离，无话不谈。当志强张开双臂、嘴里发出呜呜声、扮飞机在云层里飞行的时候，小姐妹正坐在角落里谈天，对志强的玩耍方式不屑一顾。小姐妹穿一样的衣服，鞋子，并为此感到自豪。即使她们长大以后，穿着的风格品位也非常相似。

在学校里姗姗的语言天赋得到很好的发挥，她的作文经常受到老师的表扬。除了在古文方面有些难度，姗姗几乎不用在语文上下功夫。可是姗姗的数学成绩却不太理想。她好像越来越不了解数学的真谛。但是姗姗又有些内向，不喜欢提问，在爸爸妈妈的建议下，热心的数学老师经常主动为她答疑解难，这对姗姗的帮助很大。

爸爸妈妈理解姗姗在数理方面的困难。他们并不要求姗姗在这些课程上做得跟哥哥一样出色。他们鼓励姗姗做自己喜欢的事情——例如写日记——爸爸妈妈从不给姗姗出命题作文，而是给她最大的自由空间。爸爸妈妈帮助姗姗将自己的潜能充分地释放出来，这让姗姗对

男孩穷着养
女孩富着养

自己充满信心。

女孩的天赋和弱势

出色的女孩　女孩把世界看成一种关系，她们倾向于关系式的生活方式。女孩的优势也将围绕关系展开——她们天生喜欢语言、社交和与人交流，这促使她们去发展与之有关的技能。

女孩比男孩更敏感。"听"是女孩得天独厚的心智能力，因此女孩对噪音的反应更强烈，同一个声音在女孩听来要比男孩听到的响亮两倍；在触觉方面，最不敏感的女孩也要比最敏感的男孩得分高；女孩的视觉记忆更好，在黑暗中女孩看得要比男孩清楚；女孩的味觉和嗅觉也比男孩敏感：女孩有更多的味蕾，更容易受到气味的吸引。正因为如此，女孩更擅长调动自己的听觉、视觉、触觉、味觉和嗅觉等，捕捉到那些微妙的、不容易被人发觉的信息以及更为具体的细节，建立起自己的直觉系统。

女孩会把这些能力自然地应用到人际交流中。她们喜欢交往，并注重发展亲密的友谊。她们对人更感兴趣，在摇篮里就表现出与人交流的倾向性。交流使她们感觉到支持。先交流后行动是女孩习惯的方式。

女孩的交流倾向受到语言能力的有力支持。因为大脑左半球神经末梢的发育早于男孩（女孩的语言大脑组织位于左半脑前区，而男孩子的分布在左半脑的前区和后区），她们很早就学会说话、书写、造句，有良好的语言推理能力，并且很少出现阅读问题。这些使女孩一上学就表现出男孩所不具备的优势。

女孩发育成熟比男孩快而均衡。学龄前的女孩比同龄的男孩有更好的平衡水平，她们能很好地进行单腿跳。

女孩不喜欢带有竞争性的游戏。她们的游戏一般活动量也比较小，有秩序和规则可循。

请在这些方面帮助她 女孩缺乏空间能力——例如改变物体形状，选择正确路径——美国做过一项部件组装测试，要求男孩子、女孩子把不同的火花塞和瓶塞分别插到对应的内燃机、瓶子上，结果男孩子的成绩远远超过女孩子。这或许可以解释为什么女建筑师的数量要远远小于男建筑师。

女孩更为薄弱的抽象思维能力使得她们在数理方面的学习较男生困难。当数学不再只是四则运算，必须学习运用抽象的概念和理论时，女孩的语言能力便派不上用场了。因此，家长不妨有意识地让女孩多玩三维立体积木游戏，以增强她的空间思辨力。

由于激素水平的不均衡，女孩与男孩的性发育出现差别，具有各自不同的特征。例如，男孩会在跑步和跳高方面更胜女孩一筹。特别是青春期以后，这种差距渐渐扩大——男孩发育得更快、更健壮，在体格上拥有女孩所不能企及的优势。

女孩天生不具有攻击性的倾向。当社会需要更多的进取、竞争和探险精神，而不仅仅是安静的听从指令，女孩就会觉得自己陷入被动。虽然很多人相信，如果在女孩的早期教育中适当增加一些能够培养攻击性的心理内容，女孩也会像男孩一样成为自主解决问题的高手，但这并不表明，这些会使女孩觉得满足。换言之，一份成功的事业或许会让女孩赢得自尊，但她未必会觉得快乐。

女孩的需求满足点在哪里？

正如睾丸素让男孩成为富有攻击力的"斗士"一样，女孩的需求满足也与体内的荷尔蒙有密切的关系。

我们在第一部分提到，女性染色体基因蓝图由女性荷尔蒙激活，这些荷尔蒙在女孩出生之前就已经为她规划了未来，并最终发展成为女性荷尔蒙的接纳系统。

例如，雌性激素对女孩的感情生活有着重要影响。它控制情绪的稳定、思考的过程、理解力、记忆力、个人的动力、亲昵行为的动机、爱好、焦虑以及如何处理外来的压力和性冲动。当雌性激素活动不稳定时，就会使女孩的情绪产生波动。如果雌性激素过低，女孩就会感到孤独、生气、易怒、神经过敏、悲伤、失望、缺乏自尊，让你觉得她的大脑短路了。当这种过低的情况持续下去，并且不能恢复至正常水平，女孩就会受到抑郁症的困扰。

然而，雌性激素的不稳定是经常存在的——月经周期、生育以及绝经都会使女性陷入坏情绪。例如女性在排卵期雌性激素水平比较高，情绪比较稳定，而月经来临前，雌激素会突然降低，使女性进入情绪低落期；女性生完孩子后 15 天内，雌激素会迅速下降为原来的 1/800，所以 80% 的女性产后会有抑郁体验，13% 左右的人会转化为产后抑郁症；而 40 岁的女性，雌性激素不到 18 岁女孩的 1/2，这也是更年期抑郁症的重要原因。

雌性激素只是一个方面。女孩还受其他激素的影响。例如孕激素就是女孩更喜欢小孩子和小动物的原因；催产素则会使女孩产生更多的"怜悯之情"，这就是"母性的本能"；生长激素则影响女孩突发性的生长、身高、重量和体形等方面。另外，女孩体内也有睾丸素，但是水平只及男孩的1/20，因此女孩不存在攻击性，并且比男孩更容易抑郁（睾丸素有助于保持愉快的心情）。

我们对于女性荷尔蒙的阐述意在说明，这些荷尔蒙使得女孩关心、敏感、温柔、怜悯，但是也导致她们的情绪天生就变化无常。是的，情感对女孩具有非同寻常的意义。对女孩来说，她的自我意识的提升，根本上来自情感的满足以及人际关系的质量。我们来看看女孩通常在想些什么：

她的情绪。

她所使用的语言、交谈的速度和需要。

在指定的时间里，为了某项任务如何去做。

她会吃多少东西。

在不使用语言的前提下，她如何与人保持联系。

她对所喜欢的人有什么感觉。

她如何帮助自己调整。

她的自尊。

她的竞争水平。

她在社会中的抱负。

她的进取心。

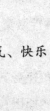

她的重要情感——如生气、快乐和痛苦。

与男孩相比，女孩似乎来自另一个星球。她们和他们，对于生活有不同的感悟和要求。在上一章节，我们提到男孩最想知道的三件事情："第一，谁是领头人？第二，规则是什么？第三，必须按规则办事吗？"——竞争是男孩的天性，那么，女孩的天性是怎样的呢？或者说，她们关注的事情是什么呢？艾里姆夫妇在一本名为《养育女儿》的畅销书中提到了我们所关心的问题，他们把女孩对情感的要求解释为对"关系"的需要。他们认为，女孩更容易受以下问题的驱使：

第一，我们之间有关系吗？第二，我们之间关系的本质是什么？第三，在这种关系中，我处于何种地位？第四，要维持关系内的这种联系，我应该做些什么？

女性荷尔蒙的周期是如此灵敏，它们对女孩的个性、情感、道德、精神和身体发育都有非常重要的作用。它们使女孩不像男孩那样富有攻击性、冒险性和控制欲，乐于变化、投机、尝试和诉诸行动，而是更具预测力、稳定性、安全感、谨慎细心、稳定从容——这就使女孩把友谊和家庭看得比成就和机会更重要。

一份对当代女大学生价值观念的调查显示，对于"人生最重要的是什么"的问题，"有美满的婚姻和家庭"选项最受女大学生青睐。分析者认为，这意味着婚姻和家庭正在逐渐成为当代女大学生人生价值的重心——事业诚可贵，家庭价更高。被出生在 20 世纪 50、60 年代的人们所贬抑的以婚姻家庭为女性人生价值的取向，在 80 年代出生的女性中又重新弥漫开来。

然而，这是否体现了当代女大学生对传统价值的回归？值得注意的是，即使认为婚姻非常重要，当代女大学生更关注的还是自我。当被问及"我自认为是何种女性"时，"享乐型的自我中心女性"选项得票最高。这说明，现代的女孩更注重自我观念的满足，她们把婚姻家庭作为人生最重要的部分，是因为她们的幸福感很大程度来自家庭。她们不满足于把成功简单定义在事业上，更愿意呈现一个完整的人格：她们是幸福的女人，有着深爱她们的丈夫和可爱的孩子，有着和谐美满的家庭。

　　婚姻家庭是女性对于"关系"的最直接和亲密的体验。在家庭中，女性明晰自己的地位和责任，并且很愿意为之付出努力。健康的家庭、家人的和谐关系使女性的自尊心得到增强，这比一份成功的事业能够给予她们更大的满足。

　　女孩不像男孩那样喜欢独立和竞争。她们更喜欢和谐、融洽的交流，无拘无束地与人相处。她们只是在寻求一种关系，在这种关系中，她们平等付出与获得，相互依存和制约，她们是关系的一分子并对它负有责任。沟通和交流是她们维持联系的方式，渴望关爱和友谊等亲密情感是她们的天性——同样是一场比赛，男孩们无时无刻不在想自己该怎么赢，女孩却在想怎样和对手保持友谊。"下一次你一定会赢。"获得胜利的女孩可能会这样跟对方说。她的确了解对方的失落和悲伤。

　　然而，"能够关心他人并不意味着软弱"。艾里姆夫妇在《养育女儿》一书中提到。心理学家约翰·格雷博士也把女性称作"义务心理咨询师"，因为女性"更关注自我和他人的情感世界。她乐于为他人提供心理辅导，也乐于请对方充当心理医生"，"她更愿意一次展示她

男孩穷着养
女孩富着养

的爱，她的关心，她的美德"。

社会与女孩

本书中我们多次提到了女孩所处于的两难境地：一方面社会要求女性自强、经济独立；一方面女性又不能摆脱传统固有的观念，事业有成而家庭失败的女性并不认为是成功的。

我们把这种矛盾出现的外部原因归为：社会正处在男性框架结构中。当社会把男性作为规则的标准取向时，女性就不得不向这一标准靠拢。这样的结果是，女性一直不断地同自己的内心作斗争，她们不再听从内心的声音，而是借助外界的力量来决定自己做什么。文化的力量就在于此。对女人中的成功者，社会热衷于为她塑造一个男性化的女强人形象；而对于失意者，社会也鼓励她们应该像男性一样打拼。当男性文化成为我们社会的主流，女性文化就被逼到一个可怜的角落——报纸、杂志、商店的橱窗……似乎一切都在围着女性转，我们却无法忽略这些背后的那双眼睛——甚至女性也在从男性的视角看自己。

然而，如果女性强迫自己独立、自强、富有进取心，以争取与男性平等，这实际已经说明，女性已经觉得自己永远是第二位的。为什么女性不能拥有自己的独特气质？为什么女性不能用自己的标准和视角来取得与男性的平等？为什么当女性们纷纷走出家门，也在为一份事业打拼的时候，还得同时操持家务？为什么当家里一团糟、杯盘和衣服都没有人洗的时候，人们都会说女主人太忙或太懒？

特别对于女孩的家长来说，必须反思：透过目前的文化镜头，看什么才是对待她们的最佳方式？我们已经习惯的观念和看法能否帮助女孩拓展自己的潜能，还是压抑她的发展？在本书的一开始，我们已经举出安妮和莉莉的故事，他们的父亲持有目前最普遍的两种观点：是让女孩"跟男孩子一样，才能在社会上有竞争力"，还是"女孩子的将来主要是操持家务而不是创业"？

"从小父亲就代替我做了所有的事。我读书他送我到学校，大一些的时候他给我买了自行车，并且每天都检查车胎是不是漏气。毕业以后，他给我找了份稳定的工作，并且给我找了男朋友，还帮我们买房、装修。现在他去世了，我的单位效益不好，我正面临下岗，而且我跟丈夫也出现了矛盾。我真不知道自己该怎么办。"35岁的王女士说。

另外一位郑女士看起来要比她幸运一些："从小父亲就教育我不能太女孩气，所以我很早就开始学习独立生活，试图去做所有男孩子在做的事。毕业的时候我不服从学校安排，找了一份挑战性很大的工作，并且一直做到现在。"郑女士担任一家企业的总经理，她是出了名的"女强人"，工作得心应手，但是唯一遗憾的是，她与丈夫正过着貌合神离的生活。"他不理解我的工作。"郑女士说，"他经常大发雷霆，埋怨我不能像别人一样把家收拾得干净利落，还一天到晚在外面应酬。"

两位女性对人生有不同的选择，然而她们都不觉得幸福。孔子说："唯女子与小人难养也。"对这句话的批判是毋庸置疑的。对此，作家王小波却颇有深意地说："人们只是小心提防着不要做小人，至于怎样不做女人这个问题一直没有解决。"的确，当社会文化让女性在潜移默化中背弃自己的天性，我们该如何从文化中苏醒，来选择一

条让女性过得更健康、快乐、舒畅的道路呢？

对此，我们赞成艾里姆夫妇的建议：要倾听女孩的"真实意图"，让女孩根据自己的"内部指导系统"而不是别人的意见来决定自己的发展。女孩要学会"倾听自己内心表白的信号"，理解自己"内在的欲望"。是的，帮助女孩，让女孩成为她自己—— 一个真正的公主，而不是别人思想的随从——真正释放出自己的潜力，这就是家长要做的事。所谓"富养女儿"的意义就在于此。本书将围绕这个观点加以阐述。

7. 女孩富着养

公主的毕业典礼

这是一个阳光明媚的初夏，空气里弥漫着蔷薇花的芳香。爸爸和妈妈静静地坐在东阶礼堂第七排中间的位置，等待着女儿若桐的大学毕业典礼。

音乐和掌声响起，校长亲自宣读荣誉毕业生名单。接着，爸爸妈妈看到他们的女儿自信地走上领奖台，以综合测评前十名的优异成绩成为荣誉毕业生的一名，并从校长的手中接过毕业证书。"这是我们的女儿！"爸爸妈妈的眉梢眼角堆积着掩饰不住的骄傲。

此刻，妈妈热泪盈眶。时间过得多么快啊！她想起那个春日小雨初停的傍晚，胖乎乎的女儿向她呈现的第一抹微笑；女儿蹒跚学步时，经常跌倒在地，小黄裙子上满是泥浆；女儿拿着红纱巾扮演大公鸡的可爱模样；女儿围着自己说悄悄话的羞涩脸庞；女儿下雨的时候忘了带雨具，只好在雨里奔跑的场景；女儿高考前的日日夜夜……

爸爸的眼眶也润湿了——真不可思议，这个小丫头大学毕业了！仿佛就在昨天，她还缠着爸爸不住地问"为什么我去公园的时候不买票？为什么金鱼有红色的也有黑色的？为什么隔壁的小哥哥要戴眼镜？为什么……"爸爸的"小问号"终于快乐健康地长大了！爸爸想起读小学时的"小问号"，一个下午就学会了骑自行车；初中的时候，为了800米长跑测试每天在宿舍大院的篮球场上跑几个来回；高中时代，"小问号"在学习压力下变得沉默寡言，又在爸爸妈妈的鼓励下重拾微笑；大学时代，"小问号"开始有护花使者，爸爸淡淡的失落……

爸爸的左手握住妈妈的右手，他们相视一笑。微笑中带着对女儿点点滴滴的回忆，还有对彼此二十几年来相互扶持、理解的感激。爸爸妈妈共同建立了一个温暖和谐的家，共同孕育了可爱美丽健康的女儿，他们为此感到自豪。

公主的家庭聚会

若桐是幸福的，因为她出生在一个温暖和谐的家庭里，相亲相爱的爸爸妈妈给予了她爱的证明和保证。这是女孩最需要的安慰，也是女孩幸福、安全感的源泉。

为了迎接若桐的出生，爸爸妈妈早早就做好了准备。他们买了很多关于家庭教育的书，希望这些书能给他们带来一些启发。在一本书上，他们看到这样一句话："孩子未来的成功与幸福取决于我们营造的环境，而不是所教授的技能。"还有一本书这样写道："在人身这个小宇宙里，一切都是潜伏地存在着。你给他（她）光明，他（她）立刻就看见了。"爸爸妈妈认为这些话很有道理。他们相信，女儿一定会变成美丽善良、心怀美好、充满灵性的女人，不管她将来是否有高学历，她的幸福一定和她看世界的心境有关，也和她小时候曾经受到的理性的宠爱有关。为此，他们约定，要尽最大的努力让女儿相信爱的存在和可能，要让光明、温暖、坚信、乐观这些幸福的字眼占据女儿最初最柔弱而单纯的心灵，这些将变成女儿一生的信念。

事实证明，爸爸妈妈的做法是正确的。他们成功地承担（或者塑造）了自己的角色。他们最让人叹服的坚持是：作为父母，他们从来没有在女儿面前红过脸——爸爸妈妈互相理解、支持、信任，这意味着，女孩最初所看到的世界是明亮的，这些美好的感情也会反过来在潜移默化中影响女孩。

这种坚持来自父母之间真挚而美好的感情（没有人可以日复一日地伪装，在孩子面前的伪装尤其困难，因为孩子们通常有一双明辨善恶的眼睛）。在家庭日常的生活中，则体现为夫妻双方的协作以及对家庭的责任。丈夫该如何进入家庭，而不是游离于家庭之外？妻子该如何摆脱孤独和困惑的心境？对这些问题的阐述或许偏离了本书的主题，然而，问题的解决对于女孩来说却是至关重要的。

清清来自一个极端专制的家庭。在家庭里父亲扮演了"封建家长式"的角色：脱离家务，将自己的权威摆在毋庸置疑的位置，家庭成员的任何事都要征得他的同意，同时他还热衷于行使自己的反对权。

母亲的地位在这个家庭里是卑微的，似乎沉重的家务是她的天职，虽然她也有一份负担不轻的工作。在女儿的教育问题上父母也有很大的分歧，每次清清学习成绩下降或犯了错误，他们都会互相指责。

这个家庭的气氛是让人窒息的——父母为家庭责任和义务而争吵，陷入长期冷战，女儿则在冷冰冰的氛围中长大，怀疑爱和一切美好的东西。长大后的清清孤僻、内向，经历了几次失败的恋爱和婚姻。她扮演过各种角色：独立的、依赖的，甚至不顾一切的。每一次恋爱或婚姻，她都试图让自己摆脱看似宿命的怪圈，然而她并不知道究竟该怎么做，最终她都会陷入怀疑和绝望的深渊，并走向情感的破裂。

不和谐的家庭关系对女孩的影响是复杂、重大的。使女孩无法建立起对感情的信任。正如我们在前面讲到的，如果女孩从一开始就深陷矛盾重重的关系中，从而对感情持怀疑态度，那么她的满足又如何谈起呢？如果女孩不曾见过美好、宽容的感情，不曾见过沟通交流的方式，她又如何建立健康的心态？

父母关系的严重恶化，使女孩长期处于恐惧焦虑和无所适从状态，这不仅会影响女孩的心理发育和个性发展，还将导致她无法完成必要的角色认同。例如故事中的清清，希望学习父亲又觉得父亲"高不可攀"，试图学习母亲又觉得母亲太过"软弱"，更重要的是，父母的矛盾使得清清看到父母（认同偶像）是如此没有自制力，这也会动摇她向父母学习的心态，使她的角色塑造严重受挫。

渴望爱的小公主

当男孩们正在衡量自己实现目标的能力时，女孩们已经身处某种关系，并且对这种关系产生了浓厚的兴趣。"我是爸爸妈妈的女儿!"女孩这样想，"这意味着什么呢?"

于是，当男孩们对海盗游戏乐此不疲的时候，女孩们开始玩"过家家"，扮演自己感兴趣的所有角色。"宝宝该吃饭了。"她们学着妈妈的样子，奶声奶气地对洋娃娃说。有时她把自己的娃娃设想成一个家庭：这是爸爸，这是妈妈，这是宝宝。然后爸爸妈妈下班回家，一起做晚饭——女孩已经把父母的生活搬到她的游戏中了，这是多么自然而然的事! 如果爸爸经常晚回家，女孩会设想一个天天早回来陪自己玩耍的爸爸，但也有可能在游戏中剔除爸爸的角色。

女孩就是这样将自己融入一个个关系中。她们天性倾向于关系式的生活方式。于是亲密的情感、交流、沟通就成为女孩生活中举足轻重的部分。正如我们在前文中提到的：情感对女孩具有非同寻常的意义。对女孩来说，她的自我意识的提升，根本上来自情感的满足，以及人际关系的质量。这种女孩在摇篮里就已经体现出的情感诉求是父母们最不能忽视的部分。因此，在家长精心营造的情感氛围中，既包括父母之间关系的偶像作用，也包括女孩所能获得的感情满足程度。

女孩通过交流获得关心、理解、尊重、忠诚、体贴和安慰。交流对女孩意味着：

传达或收集信息：这或许是男孩交流的唯一理由。

探寻并发现想表达的内容：女孩往往通过交流发现自我、找到自我并理清思路。

释放情绪，改变心情：女孩最害怕没有倾诉的渠道，倾诉使女孩得到感情的依托和支持。

保持与对方的关系：女孩相信交流中的真情实感，这种亲密的状态使她们提升与对方的关系。

在女孩的情感诉求中最为独特的方面是：当女孩的青春期来临，她就要经历荷尔蒙循环的周期，这使得女孩以新的方式去面对世界。关于荷尔蒙对女孩的影响前面我们已经阐释。在此我们仍然要强调它的循环周期，正是它使得女孩的情绪像波浪一样起伏不断，且变化无常——当波浪上升的时候（雌性激素水平比较高），女孩感觉良好，身边的一切都会让她快乐，女孩也像甜蜜的糖果一样讨人喜欢；而波浪下降后，女孩的世界就会阴云密布，缺憾重重，女孩也会无精打采、烦恼和沮丧。

这种变化是正常的。第一次经历月经的女孩可能会觉得惊慌失措，甚至产生羞耻感，这时候，妈妈是女孩最有效的安慰剂。从惊恐里走出来的女孩将要在今后的许多年中同自己的坏情绪作斗争，她仍然需要帮助。因此，家长必须重视女孩的情绪变化——当女孩哭泣的时候，紧紧地拥抱她们；当女孩想说话的时候，就与她们交谈——这正是女孩所需要的：最高境界的耐心、最好的见解、最无微不至的关怀。

妈妈的贴心小棉袄

冰心曾经说："世界上若没有女人，这世界至少要失去 5/10 的'真'、6/10 的'善'、7/10 的'美'。"的确，在家长们看来，女孩是由糖、香料和所有美好的东西做成的，然而拥有女孩并不仅仅意味着欢欣和兴奋，还意味着责任和担忧。女孩就像一朵小花，或美丽，或娇弱，或妩媚，或敏感，或细腻，她们各具魅力，但她们的成长都需要父母，尤其是母亲更贴心的关怀。

正如父亲会对男孩承担起"男性榜样"的任务一样，母亲也需要承担起对女孩的任务，即教会女孩：我是谁？什么是女人？怎样做一个女人？该如何将自己的女性潜能发挥出来？——"你简直像你的母亲一样！"人们经常这样对女孩说。女孩是天生的模仿专家，而大多数的女孩都会把母亲作为模仿对象。如果母亲自信、果断，她的女儿也往往会有同样的品质；如果母亲脾气暴躁、性格恶劣，女儿的脾气可能也好不到哪儿去。事实上，不管母亲是女孩的良师益友，还是让人讨厌的阴影，母亲的影响都将贯穿女孩的一生。

朱莉和翠西是一对好朋友，可是最近她们突然闹翻了，原来朱莉的男朋友跟她分手了，并且开始追求翠西。

一个周末，朱莉的妈妈突然接到了翠西妈妈的电话，电话里的声音非常愤怒，要求朱莉妈妈好好管教自己的女儿。

"我们度假回来，发现起居室的阳台堆满了臭鸡蛋！"翠西妈妈说，"我听说，这是你女儿和她的几个朋友干的！"

男孩穷着养
女孩富着养

晚上，情绪低落的朱莉回到家，发现妈妈正在客厅等着她。"朱莉，翠西的妈妈今天打电话过来了，她非常生气。你能不能告诉我，到底发生了什么事？那些臭鸡蛋是不是你扔的？"

"没有，妈妈。"朱莉回答。然而她的脸色并不平静。妈妈看出了些什么，但还是拨通了翠西家的电话："……我想你冤枉了我的女儿，朱莉没有做这件事，希望你向我和我的女儿道歉。"

朱莉看着妈妈为自己辩护，心里又感激又愧疚。她不想让妈妈失望。于是她原原本本地讲出实话："妈妈，你知道我跟杰克分手了，都是因为翠西，所以我买了臭鸡蛋扔到她家里……对不起妈妈，我很难过，我不知道该怎么办……"

朱莉以为妈妈会大发脾气，但是出乎她意料的是，妈妈并没有这么做。妈妈坐下来，握住朱莉的手，向她讲述了自己过去的经历。妈妈谈到了自己的初恋，少女时代的困惑，也谈到了自己的成长和为人父母的难处。妈妈鼓励女儿将心里话说出来，并表示愿意跟她一起渡过难关。

妈妈的一席话让朱莉感受到了爱和理解，她觉得应该纠正自己的错误。终于，她拿起电话，向翠西妈妈诚恳的道歉，并且最终获得了谅解。

有句俗话说："女儿是妈妈的贴心小棉袄"，意思是说女孩温柔体贴，与母亲心灵相通。这很有趣：同父子关系相比，母女关系往往看起来更为亲密。事实上，这种亲密的关系对女孩的成长是十分有益的——亲密的母女关系带给女孩沟通、交流的经验，有利于发展女孩的亲密感和感受性，使她感受到更多的情感支持。这种对女孩心理需求的满足，还有谁会比母亲做得更好？正是女孩与母亲的共性，使女孩有了借鉴的榜样，并从中发展了自我。

爸爸是不可或缺的

我们用很多篇幅来介绍父亲对儿子的影响力，那么，父亲对女儿又有什么影响呢？父亲是否应该积极地介入女孩的生活？是否应该把这份责任统统交给母亲？父亲只是女孩成长中的一个次要角色吗？父亲在女孩面前有什么特殊的责任？

做女孩怎么样　很多女孩都偷偷地穿过妈妈的高跟鞋和长裙子，她们看着镜子里那个小不点，幻想着有一天也能成为一个风姿绰约的女人。然而，也许女孩自己也没有意识到，她们洗手的姿势、哈哈大笑的样子更像爸爸，甚至在她们的内心也一直在向着父亲所希望的方向发展。

父亲对女性的看法，在极大程度上影响女孩对自己的性别角色的认识。如果父亲认为女性应该是传统的，那么他的女孩就会温顺而文静；如果父亲认为女性跟男性没有什么不同，他的女孩可能就是个假小子。父亲的这些暗示是不会被女孩忽略的。

女孩的安全感　很多男孩承认，他们在按照母亲的摹本挑选女友或妻子。有趣的是，同时又有65%的母亲发现，自己的女婿跟丈夫竟然如出一辙——这意味着，很多女孩也在按照父亲的标准挑选丈夫。

与父亲同类型的男人令女孩更有安全感和亲切感。但是也有一些父亲因为在家庭中扮演了"可憎"形象而受到女孩的排斥。因此，这些女孩的父亲会说自己的女婿："真是个讨厌的家伙！"

怎样与异性交往　妈妈发现6岁的女儿正在跟爸爸讨论《孙子兵法》，她不由得想，也许将来女儿带回家的小伙子会对古代文化津津乐道。妈妈的想法并非没有道理。调查表明，5个女孩中有2个会显示出和异性交往的能力与父亲有关。如果说母女的亲密关系带给女孩满足的体验和情感的支持，那么父亲与女孩的关系，则使女孩初步懂得了怎样与异性相处，以及如何维持异性间的关系。

一个我们不能忽视的现实是，在我国独生子女成为普遍现象，使得大多数女孩没有兄弟，因此父亲就成了带领女孩走进男性世界的唯一领路人。如果女孩的父亲是个冷淡而被动的男人，女孩就需要自己去摸索与异性的相处之道，如果那些困惑不能及时解决，女孩成年后就会在与男性的关系问题上遭遇更多困难。

从摇篮到工作

成长是连续的，在某些方面它也许会慢下来，但绝不会停滞不前——你的小公主正走在人生的哪段路程上？你给予她的支持、信任、理解有多少？这段路途让她快乐吗？在赶路的同时她有没有错过路边的好风景？你是她的引路人吗？如果她选择的路线跟你不一样，你会怎么办？

这就是我：从出生到 7 岁

"苏珊似乎已经有了自己的词汇表。每次我跟她说话时，她都会模仿我的口型，甚至根据我的语气作出不同的举动。她才 4 岁。这真不可思议！"

"安妮非常喜欢'藏猫猫'的游戏。有时我抱着她照镜子，她会对着镜子里的自己微笑，然后把可爱的小脑袋转过来看着我。她已经 5 个月了。"

"我的宝贝 6 个月了。她喜欢热闹，每次有客人进来，她都会蹬着小腿表示欢迎，还会伸出胖嘟嘟的手臂让人抱。"

"姗姗才 11 个月大，可是她已经会叫我'爸爸'了。我太激动了！"

"翠西一岁半了。如果我跟她说'小猫'，她就会用小手指向画册上的小猫。我们都很喜欢这个游戏！"

"西西注意到家里的小狗有一个翘翘的尾巴。她把这指给我看，并为此感到骄傲。她 2 岁半了。"

"若桐简直就是个'小问号'。她不停地问我和她爸爸一些问题，有些真叫我们为难——她问我们是不是从垃圾箱里捡到了她。她才 3 岁，我们该怎样回答她呢？"

"我一直希望自己能够像对待儿子一样对待爱丽丝。可是现在她4岁了，她喜欢粉红色的裙子和洋娃娃，不喜欢哥哥的玩具枪！"

在女性胎儿 18 周大的时候，所有的脑细胞就开始生长了。她的大脑跟男孩一样，分为大脑皮层、边缘系统和脑干 3 个部分，并且沐浴在荷尔蒙中。但是也有不同的地方：女孩的荷尔蒙主要是雌性激素和孕激素，男孩的荷尔蒙却主要是睾丸素和血清素。

女性荷尔蒙通过连接大脑里的细胞受体来告诉体内成千上万个细胞该做什么。它们在女孩出生以前就为她规划了以后的蓝图，但是起到明显的作用还是在青春期以后。事实上，在女孩出生到 7 岁的这段时间，主要是脑垂体的生长素在起作用，这使得女孩的身体发育和男孩基本相似。

然而这种相似只是出现在身体表面。大脑生理学家们发现，此时女孩的大脑正在从右半球以比男孩更快的速度向左半球发育，她们的额叶比男孩更活跃，颞叶上的神经连接比男孩更强，顶叶比男孩接收更多的数据，枕叶比男孩发展的更快速……正是这些不同造就了女孩的天赋。我们在前面已经对于这些天赋有所描述。

无论如何，这一阶段是女孩的身体变强时期，也是她们的心理奠定期、精神奠基期和人格形成期。她们要学会走路、说话、思维、表达自己的意愿，为今后的发展奠定身体、社会和情感的基础。她们遵循着自己的发展方向，开始寻求各种联系。她们开始学会以一种符合她们年龄的方式去关心别人，同时也希望获得别人的关心。她从父母的身上学会了处理自己与他人的关系，并把注意力渐渐扩展到周围的环境。

提早教育和感官训练　这段时间是女孩大脑快速发展的黄金时期。有报告指出，女孩的脑细胞组织到 3 岁就已经完成了 60%，6 岁则完成了 80%，等到 7 岁上小学的时候，她的聪明与否大致上就已经决定了。因此，教育学家们认为，0～7 岁是女孩智力发展的关键时期，这段时间的教育关系着女孩一生的智力发展水平。

　　教育家蒙台梭利还提到了"感官训练"，她认为，幼儿的学习始自感官（视、听、味、触、嗅等五觉）的直接接触，增加智力的第一步就是培养孩子感觉器官的敏锐性。幼儿习惯于从具体到抽象的培养方式，而不是由大人把她们拽到一个她们还无法理解的世界中来。

　　尊重女孩的需要　当女孩躺在摇篮里的时候，她们用哭闹表示她们需要更多的关心。4 岁以后，女孩的哭泣则可能隐藏了更多的因素。但不管怎样，女孩的需要是不能被忽略的：她们需要父母把她们从潮湿的母体过渡到现实中来，需要父母温暖的怀抱、看护人稳定的呵护、有节奏的家庭生活、适合年龄的活动和玩具、适度的自由和家长们为她们做出的恰当的决定。最根本的是，她们需要家长们倾听她们内心深处的声音，通过家长的关爱和帮助，获得希望、力量、勇气、理解、同情和友善。

新鲜的世界：8～12 岁

　　"当丽莎的小狗死去时，我们一起坐着，手拉着手哭泣。她知道我理解她的感受，相信我能跟她在一起。丽莎 10 岁了，我们还保持着亲密的父女关系。"

　　"我们带着珍妮到乡下度假。珍妮就像个假小子，她喜欢跟爸爸，还有那些马和狗待在一起。她无忧无虑，热爱自然，精力无穷，这真是一段美好的时光。"

"身为妈妈，我很早就向阳阳灌输了'月经'的观念。当她发现自己来月经时，有一点骄傲，还有一点忐忑不安，但是她并不害怕。"

基础打好以后，女孩开始建造她的"大房子"了。8~12岁的女孩，开始从梦幻般的世界里走出来，惊喜地发现自己是一个独立的存在。这时候，她的大脑额叶生长的速度几乎和婴儿期一样快，这使她能更好地学会新技术、吸收新观点、掌握新的能力去思考、争论。她是生机勃勃的，她不再害怕分离和孤独，但是迫切地想要跟这个世界建立联系。

这一阶段，父亲的作用是特别的。一个合格的父亲会成为女孩心目中的英雄。女孩渴望受到父亲的关注，并希望自己能够符合父亲的期望。如果父亲过于严厉、专断、冷漠，女孩就会感到失望——甚至有报道说，她们的青春期会因此而提前到来。而拥有开放心态、愿意同女孩分享情感的父亲会使女儿更坚强、更有竞争力、更少神经质，并且像鲜花一样绽放。

而母亲在这个时候可能会感到失望。因为女孩不再像以前那样听话，她不愿意做家务，不再与母亲保持亲密的关系，她像男孩子一样热衷于探索世界，甚至还带有一些阳刚之气，她开始在亲近父亲的同时，有意无意地与母亲疏远。然而当女孩遭遇挫折时，母亲仍然是她的感情支持——如果母女关系一开始就呈现健康的状态，这一点永远都不会变。

对女孩来说，周围的一切都不再神秘。一本名为《女孩的内心》

153

的书中这样描述一个9岁女孩的内心世界：

> 记得9岁的时候，有一次我走在环绕公园的小道上，想到自己9岁了真好，而且无所谓自己是不是永远9岁。
>
> 我正在思考着这个世界……
>
> 我记起曾经拥有过的一种真正快乐的感觉，一种可以征服世界的自信……我感到安全和镇定。
>
> 我有过一种感觉，我可以生活在这个社会中，即使这意味着我将形单影只。我知道我可以征服这个世界，我可以做到！

这可能是女孩的最佳时期。所有的事情都是新鲜的，精彩的世界在召唤着她。它们将在女孩今后的人生中留下深刻的印记。这一时期女孩所经历的关系、亲情、体育运动、美术和音乐活动以及一些理论知识会在她以后的生活中保持，而这个时期没有经历过的事情，以后做不好是很可能的。

但是事情也有糟糕的一面。这一时期，女孩的荷尔蒙开始"作祟"，使得她很容易从自信的高端跌落下来。那些不为成人察觉的精神创伤可能会让女孩做噩梦，并给她带来难以弥补的恶劣影响。家长们必须指导女孩，使她们信任自己内心的声音和思考的能力。

请理解我：13 ~ 17 岁

"她开始忧郁、敏感、闷闷不乐，我说什么她都烦。"

"她总是觉得自己胖。事实上她是班里最瘦的那个。该怎么劝说

男孩穷着养
女孩富着养

她，让她多吃点东西呢？"

"她开始变得尖酸刻薄，觉得我是一个来自地狱的母亲。这是怎么回事？我们似乎没有任何共通的地方。想当初，3岁的她是多么可爱啊！"

在这一阶段，我们的可爱女孩进入了青春期。于是突然之间，父母发现曾经那么活泼开朗的女儿变得闷闷不乐、喜怒无常、神神秘秘、情绪波动大，还有一些自恋。那个甜蜜的小公主变得刁蛮任性，成了家里"最难对付"的人，她有一颗脆弱而骄傲的心：一方面表现出强烈的自尊，为一点小事就感觉受到伤害；一方面又经常陷入矛盾中，举棋不定，还容易受到外界的影响。对大多数父母来说，这可真是一段喜忧参半、难挨的时光——我们的小公主能不能顺利渡过这段"阵痛"时期，成长为一个快乐、自信的现代女性？

很少有家长能够清晰地回忆起自己那段混乱、迷茫的青春期。也很少有人敢说，他在那个时候曾经非常幸福。甚至，当我们经过岁月的洗礼而拥有成熟的思维后，都在试图同那段岁月中所弥漫的不安感觉保持距离。然而，我们的女孩正在经历我们试图要忘掉或粉饰的一切，她们的心里充满了疑问：为什么我的身体会有变化？我会变得难看吗？我会变胖吗？别人会怎么看我？我应该怎么办？我应该说出心里话吗？这会不会打乱我的人际关系？他们喜欢我吗？

月经初潮是女孩的成人仪式。在美国，女孩月经初潮的平均年龄是 12.5 岁，今天中国女孩的平均月经初潮年龄则是 13 岁左右，但相当一部分十一二岁就来了。这标志着女孩告别童年时代，进入有责任感、成熟的女性时期。然而这种变化并不那么简单。女孩们对此的看法是不同的，有人觉得自豪而甜蜜，有人认为这不算什么，也有人认为这是一件羞耻的事。这正是家长们担心的：女孩会怎么看待这种变化？她能不能接受自己的变化？聪明的家长会给孩子打好"预防针"，提早将这些"公开的秘密"告诉女孩，告诉她这件事的意义，以及做好相应的身体和物质上的准备。此时妈妈的作用非同小可。15 岁的苏珊这样说：

　　我 11 岁的一天，妈妈告诉我她最近不太舒服，她说这叫"月经"——成熟的女人每个月都会经历一次。"会疼吗？"我问妈妈。"有时候会肚子疼，不过我们可以做些什么。"妈妈继续说，"你也会有的，苏珊。这就意味着你长大了。"

　　妈妈给我看她买的书，还有一些卫生用品。她的介绍非常细致，还对我说希望我这些天能够关心她。于是我帮她洗碗，做那些力所能及的家务事。

　　一年以后，我意识到自己有些不一样了。一切都像妈妈预料的那样发生，我和妈妈为此感到高兴。妈妈为我做了充足的准备，我很感谢她，我们的关系更加亲密了，像一对好朋友。

　　与妈妈自然而然的关心不同的是，此时的父亲却可能因为不知道如何处理与女孩的关系而躲得远远的。此时的父亲也是同样迷茫的。他们没有经历过这样的变化，也不知道该如何看待它。但是，一个关

心女孩的父亲或许知道，在这个关键的时刻跑掉会有什么后果：女孩没有了父亲的指导和约束，对异性缺乏必要的了解，她甚至认为自己的变化是让人讨厌的。否则，爸爸为什么不理她了呢？这些简直就是让女孩更加困惑不安的迷雾。

与月经初潮如影随形的是女孩的第二性征的出现。这时，女孩发现自己有了玲珑的身体曲线，她的胸部开始发育了。最早发育的女孩往往会成为男孩子们取笑的对象，而晚发育的女孩则会失去向同伴倾诉的机会。女孩们更关注的问题是：我的曲线会不会露出来？这会让我难堪吗？我该不该买一副文胸？还有一些女孩因为担心自己会变得太胖而出现饮食危机。另外一个家长们需要关注的现象是，女孩们正在遭受文化的强烈冲击：社会文化正在宣扬怎样的审美观念？是把"性"作为生活中正常的部分还是过分敏感的话题？要知道，女孩们是不会对网络上的色情镜头视而不见的。

荷尔蒙对女孩的影响可不止这些。上个世纪末，随着港台风刮进大陆，"追星族"现象开始受到人们的关注，我们经常看到电视上有这样的镜头：女孩因为见到心中的偶像而激动地掉下眼泪，还有一些报道说，女孩为了追星做出过激行为；更让人担心的是，有些女孩会把感情放到距离较近的人身上：也许是老师，也许是邻居大哥哥，也许是同班某个男生。家长们通常会为女孩的这些狂热行为而大伤脑筋——如果女孩发现自己的感情并没有得到回报，或者深深陷入感情苦恼而不能自拔，甚至为了感情草率地交出身体，她们会不会受到伤害？我们该为她做些什么呢？

李梅曾经有过一段很心酸的往事。读高中的时候，李梅的父亲去世，渴望父爱的李梅于是把感情交给了一个大她很多的男人。这个人是李梅父亲的同事，曾经帮忙料理过父亲的后事，也经常在生活上关心李梅，然而，他并不能回报给李梅相同的感情。他有自己的家，有妻子和孩子，他并不想因此打破自己的婚姻。

李梅后来对自己15岁的女儿讲起这段往事："那时我很痛苦。我怀孕了，但只能偷偷把孩子打掉。他知道这件事后，不但没有关心我，反而开始躲着我。他对我说，'我们不能再见面了。'"

陷入情绪低谷的李梅学习成绩一落千丈，本来是优等生的她开始跟不上同学们的步伐。"后来怎样呢？"女儿问道。

"后来，我碰到了你爸爸。他从外地转校过来，成了我的同桌。他开朗、乐于助人，在听说了我的事情后，他不但没有嘲笑我，反而给了我很多鼓励和帮助。"妈妈沉浸在甜美的回忆中，"他把我从绝望的边缘拉回来。后来，我们一起考上大学，然后毕业结婚，有了你。"

"爸爸太棒了！"女儿赞叹地说。

"是啊，我也这么认为。你觉得李建怎么样？"

女儿脸红了，说："我不知道。我觉得他很帅。"

"宝贝，给你一个建议：跟他设立一个时间期限——譬如考上大学，如果那个时候你还是这么认为，那么你不妨开始一段美丽的爱情。在这之前，你可以跟他做很好的朋友。"

女儿点点头。她觉得妈妈说得很有道理。她的这段友情并没有持续很长时间，很快女孩就发现，她心中的白马王子远没有爸爸那么宽容、真诚，这不是她想要的感情。于是，她从这段青色的爱情里走了出来。

李梅知道，自己的理解就是对女儿最大的支持。她没有将自己放在高不可攀的位置上，将那些理想化的东西交给女儿去实现，而是打开心扉，用自己去衡量女儿的处境，教会女儿用理智来控制自己的情感，学会分辨幻想和现实。这不是所有家长都能做到的。有些家长认为"爱情猛于虎"，一味地责骂坠入爱河的女孩；有些家长则向孩子灌输"爱情可耻"的思想。这样做的后果是，女孩为自己的行为陷入深深的自责，产生自卑情绪，或者产生逆反心理，做出更加"出格"的事。

总之，这是一段女孩人生中非比寻常的时期。在这段时期，荷尔蒙开始用它的循环周期影响女孩，像龙卷风一样席卷女孩的生活，给她们带来心理和生理上"天翻地覆"的变化。这段时间的女孩经常陷入迷茫，她们不知道自己要做什么，该怎么做，并为此感到害怕。她们因此而容易随波逐流，迷失自我。如果家长们能够给予女孩足够的理解、支持、关心和耐心，鼓励她们说出自己的想法，女孩就会找到内心与外在世界的平衡，顺利地渡过这段危险期。

我长大了：18～29 岁

"今天女儿参加了她的成年仪式。是的，她长大了。她开始觉得曾经的忧郁不过是'小儿科'。"

"我们都觉得兰兰应该读师范类
院校，可是她不喜欢当老师。她为自
己选择了新闻系，我们尊重她的
选择。"

"畅畅交了一个男朋友。小伙子
不错，跟她爸爸有点像。"

"女儿毕业了。可是她不想回到她长大的城市。她想出去走走。"

　　女孩终于走过了那段迷茫、莽撞、无所适从的青春期，正在成为
一个有思想、有内涵的成熟女人。站在我们面前的女孩，已经没有了
婴儿时期胖嘟嘟的脸庞，没有了童年时代无拘无束的快乐，也告别了
青春期忧郁的眼神，她活泼而不失安静，细腻又不乏大度，她带着成
年女子特有的微笑和风度，开始了自己的新的历程。

　　女儿长大了！家长们在心中感叹说。她真的可以自己去面对那些
事情了吗？

　　是的，她可以。心理学家们把这时期叫做"寻找自我"阶段——
从选择自己喜欢的穿着风格、选择交往的朋友（不仅仅是男朋友），
到选择自己要从事的职业，选择自己喜欢的生活方式，女孩在一次次
的选择中，寻找着属于自己的位置。

　　这种选择并不轻松。女孩面临的最大压力可能来自家长。对于那
些有女孩的家长来说，他们最不希望看到的就是女儿在成年后生活陷
入窘境。于是，他们关注着女孩的一举一动——特别是一些重要的动
向，诸如选择工作或男朋友——生怕女孩为自己的选择付出惨痛的代

价。他们利用自己的经验对女孩进行指导，更有甚者，试图尽一切可能替女孩规划今后的生活。对这些家长来说，放手是艰难的。

然而，家长们发现，他们的建议并不经常被采纳。这些关心反而可能引起女孩的反感。问题出在哪里呢？24岁的小莱如是说：

我父亲是一名建筑师。在我填报大学志愿的时候，他建议我选择建筑学专业，这样他就可以在我大学毕业后为我找一份稳定的工作。

一切都像他计划的那样发展。但我发现事情有点不对劲。"这不是我想做的。"我对自己说。我对建筑设计没有丝毫兴趣，我希望跟孩子们待在一起——也许我更适合幼教工作。

我的工作让我很吃力。我没有这方面的天赋、灵感，更没有工作热情。最后我被压力打垮，不得不辞掉了这份很多人羡慕的工作。在家休养了一段时间后，我找到了一份新工作——在一家幼儿园做老师，我的薪水只及以前的二分之一，可是这又怎样呢？现在我无比快乐。

不管家长们愿不愿意，预先决定怎样对待她，女孩都是一个独立的个体，有着自己的偏好和行为。我们的教育并不能让女孩完全按照我们自己的描绘去发展，而只能引导她们进入符合自己自然本性的角色中去。这是女孩学会自立的阶段，她的自立，就是相信并听从自己的内在智慧。女孩的心里有一个声音，它会告诉女孩她能做什么，不能做什么，需要什么，怎么去做。这就是女孩的内在指导系统，它将指引女孩去感受和思考。女孩感受和思考的越多，她适应生活的能力就越强。反之，如果家长们包办或控制了女孩的思想，女孩就会感到失落、烦躁和没有目标。是到女孩走出家长庇护的时候了，相信她们，把决定权交给她们，给她们勇气去战胜挫折，女孩就能安定、自信地走下去。

伊娜娜的灵魂之旅

伊娜娜是苏美尔神话中掌管仁爱和公平、负责植物、动物的生长和人类繁衍的女神。她友好、美丽，被她的臣民所爱戴，并拥有奢侈的服装和与权力相匹配的珠宝。但即使拥有了这一切，伊娜娜还是觉得不满足，她的内心有一种渴望，她希望得到一种她也说不清楚的东西。

于是，伊娜娜决定去拜访她的姐姐——地狱的黑暗女王艾里希克戈尔，希望能够从她那里获得自己想要的东西。她告诉自己的仆人尼苏伯，请她在地狱的门口为她守护3天3夜。如果她不能按时回来，尼苏伯就去找众神为她求情。

艾里希克戈尔了解了伊娜娜的愿望后，沉思良久，她看到伊娜娜灵魂的死亡时机已经成熟。因此，她命令把地狱的七重门全部拴上，"每一道门都要夺取她的威力！"艾里希克戈尔说，"我要把她碾成死去的灰尘！"

伊娜娜被这样的判决震惊了。她愤怒地呼救，可是被一只无形的手弄去了声音，然后又被除去了王冠、珍宝和美丽的衣服。最后，伊娜娜被挂在墙上死

去了。

3 天后，伊娜娜忠实的仆人尼苏伯没有等到主人，就匆忙来到太阳神的神殿请求帮助。在被太阳神拒绝后，她又来到伊娜娜的父亲——月亮神那里，请求他去救自己的女儿，然而也被拒绝了。最后，水神恩克答应了尼苏伯的请求，他塑造了两个小生灵，飞进了地狱的大门，把正处在生产痛苦中的艾里希克戈尔拯救出来。艾里希克戈尔非常感激，作为回报，她答应了小精灵的请求，把挂在墙上的伊娜娜的尸体送给它们。

小精灵们用生命的面包和水给伊娜娜喂食，于是伊娜娜苏醒了，她失去的所有东西都回到她身上，而且比从前更强大、更有力量。她穿越了七重地狱之门，再一次出现在阳光中，因此被誉为穿过黑暗转换时期的向导。

梦想与现实的距离

也许这是传说的力量：拥有、不满足、渴望、迷茫、磨难甚至死亡，而后重生、更加强大。这是女神伊娜娜的凤凰涅槃，然而真正让读者震惊的恐怕是传说所隐喻的意义——从婴儿到成人，从瑰丽的梦境跌落到心灵的重重迷雾中，从沉睡的酣畅、苏醒的惊喜到混沌的惶恐不安以及不能言语的渴望……在梦想与现实的交错中，哪个女孩不是忐忑不安地成长，不曾把灵魂挂在命运的墙上，经历痛苦的撕咬？古人的智慧到今天仍然闪光，那些传说神秘而强大，让人叹服。

没有哪个女孩不曾做过白马王子的梦。在女孩生命中的一段时间里，她坚信自己会美梦成真。她翻阅杂志，看着那些美丽的婚纱照片，幻想自己有一天能穿上它。她以为这会是在那个不可知的未来里一定会发生的事。然而，很多年以后，女人回忆起那段往事，会摇摇头，"这不过是童话，"她轻轻叹息说，"这怎么可能呢？我曾经多么'孩子气'！"

那么，童话怎样褪去了它五彩斑斓的外衣？女孩怎样穿越了童话的门槛，来到光怪陆离的现实世界？也许家长们会说："喔，这不过是顺其自然。"——什么是"顺其自然"呢？女神伊娜娜遵从自己的内心，去寻找那不可知的东西，这是不是顺其自然？难道这就意味着，她不会经历那些生与死的考验？或者说，那些考验也是顺其自然？

这就是女孩将要面临或正在经历的现实。她所要面对的考验是严峻的，她的父母能够理解她吗？会不会抛弃她？会不会将自己的兴趣和主观愿望强加给她？会不会因为爱而过渡干涉她的生活？她能"顺其自然"地成长吗？她还听得到自己内心深处的声音吗？她能够听从这个声音吗？还有，这个社会的文化给她带来了哪些改变？这些改变对她的保护有多少，伤害有多少？所有的这一切，能够在她从梦中苏醒、回到现实的时候有力地拉她一把吗？她将依靠怎样的力量重新"出现在阳光中"，谁会给她"生命的面包和水"？

"无论哪个孩子，当他出世的时候，都具有优良的品质。在他成长的过程中，会受到很多影响，有的来自周围的环境，也有的来自成年人的影响，这些优良的品质可能会受到损害。所以，我们要早早地发现这些'优良的品质'，并让它们得以发扬光大，把孩子们培养成富有个性的人。"

说这句话的小林宗作先生，是日本杰出的教育家。1937 年，他用

自己的积蓄创办了巴学园——一所极具特色的小学，在这所学校里，小林先生将自己对儿童教育的感悟付诸实践，并倾注全部的热情和爱。很多因为个性独特而在其他学校遭到排斥的儿童，在巴学园"看到还有别的像我一样的孩子，觉得安心了"，从而"的确没有因为身体上的缺陷，而怀有自卑的心理"。其中一个叫黑柳彻子的女孩，根据自己的亲身经历写出了在全球引起极大反响的畅销书——《窗边的小豆豆》，还因此被联合国儿童基金会任命为亚洲历史上第一位亲善大使。

书中的"小豆豆"，是一个因为淘气、一年级就被退学的孩子。在以前的学校里，她经常因为各种原因而被老师罚站，隔壁班的老师后来回忆说："几乎每天都看到你（彻子）站在走廊里。而且，当我走过时，彻子总要叫住我问，'老师，我被罚站了，为什么呢？'、'我做了什么坏事了吗？'"幸运的是，小豆豆有一位理解她的妈妈，当小豆豆被退学时，她并没有加以责备，而是深深地担心，女儿会因此受到伤害。为此，妈妈将小豆豆送进了巴学园，一所用电车当教室的特殊的学校。巴学园的校长小林先生相信"孩子们的梦想比老式的计划要大得多"，他给了小豆豆充分的空间，让她顺其自然地成长。

小豆豆的故事感染了很多人。一位女高中生从少年管教所来信说，"如果我有一位像小豆豆的妈妈那样的母亲，或者遇到像小林校长那样的老师，也许就不会到这个地方来了……"

我们很难为"教育"下一个定义。字典的意思是，按一定要求培养人的工作，主要指学校培养人的工作。那么，所谓的"要求"又是什么呢？如果一个学校不能为"这么活泼有礼貌、诚实又快乐"的小豆豆提供健康成长的机会，它的教育可以被认为是成功的吗？而其他没有被退学的孩子中，真的没有像小豆豆这样的孩子吗？还是这些孩子的梦想被扼杀于无形之中了呢？谁该对那些没有顺利渡过成长危机、走上犯罪道路的孩子负责？

谁能决定小公主的未来？

19世纪末的美国，有一个爱跳舞的小姑娘，她的家庭非常贫困，但母亲发现了她的舞蹈天赋，就筹了一笔费用，送她去正规的舞蹈学校上学。

然而，小姑娘刚学了3次就不肯去学校了。她认为那种立起脚尖的舞蹈不但不美，而且有悖于自然。这种舞蹈根本不是她想要的舞蹈。

母亲听了小姑娘的解释，半晌没有说话。虽然这花去了她一笔不小的生活费，母亲还是决定尊重女儿的意愿。她说："如果你认为只有自己的舞蹈才能真正体现自己，那么就勇敢地跳下去吧。孩子，自由地表现艺术的真谛，也是生活的真理。"

在母亲的支持下，小姑娘开始勇敢地追求自己的艺术。她突破了古典舞蹈的刻板教条，用自由飘逸、浪漫不拘、充满生命力和灵魂的舞姿，重新激发了观众对舞蹈的激情与热爱，从而创立了与古典芭蕾相对立的现代舞派。她就是被称为"世界现代舞之母"的伊莎多拉·邓肯。

与邓肯一样很早就展露自己独特风格的女孩不在少数，但其中的大部分都被教化转换了筋骨。她们摒弃了自己对梦想的独特追求，转而踏上那些所谓规范的道路。"你是女孩，就应该……"这样的教育让一部分女孩屈服，继而失去自我；却让另一部分女孩走向反抗。女孩们失去了什么？

"我想要这样的声音。"杰奎琳·杜·普瑞——世界最著名的大提琴演奏家之一，5岁时从收音机里听到大提琴的声音时这样说。是的，女孩们失去了自己灵魂深处的声音，失去了倾听这种声音的能力，失去了听取这种声音的勇气，她们刻意地逃避自己的真实意图，力求与现实世界接轨，她们遵循那些条条框框，听从他人的智慧，最后却在教化的丛林中迷失了自我。

小豆豆是幸运的。邓肯也是幸运的。邓肯后来回忆说："我母亲给了我一个充分自由的空间，让我学会真正的生活，勇敢地追求艺术。……现在有很多为人父母的，还不知道他们所给予儿女的教育，足以使儿女走入平凡之途，丧失创造美好事物的机会。"

也许有的家长会反问："照这么说，我们应该让女孩做她想做的任何事情？"

当然这不是我们的真实意图——要知道，家长也可以有他的真实意图，这些真实意图也许同样不被女孩了解——我们试图阐述的是，家长可以静下来，认真倾听自己的女儿说什么，也许你会发现，那些看似糟糕的行为背后，隐藏着女孩的积极愿望：要知道，淘气、破坏并不是女孩的本意！

然而，家长们面对这些行为的时候又是怎么做的呢？批评、指责、嘲笑、惩罚……这些都不会让我们觉得意外。家长们可以这样说："你要这样做！""你不能这样做！"实施权威的结果可能是表面的风平浪静和女孩内心的委屈与不平。——"我做了什么坏事了吗？"小豆豆问道，她因为上课把书桌盖开了又关，并且重复了很多次，所以遭到了老师的批评。然而妈妈知道，小豆豆只是因为太好奇了，她没有见过这样的书桌，等她习惯了就不会这样做了。捣乱也不是小豆豆的本意。

"你怎样继续按照自己的方式做事情？"聪明的家长会这样问陷入麻烦的女孩，"以一种不给你带来很多麻烦的方式？"这才是女孩想要听到的话。她只是在以一种积极的态度，用自己的方式做事情，她也希望自己可以做得更好，而不是给别人带来麻烦，更不是被泼一盆冷水。如果她知道自己的真实意图被理解，就会表现出合作的态度，这将有助于家长帮助她找到更好地解决问题的办法。

决定女孩未来的只能是她内心的声音。这个声音将帮助女孩找到自我。正如霍华德·瑟曼所说："我们每个人的内心都会有一种愿望，它在等待、在倾听着我们内心真我的声音……那就是我们所拥有的唯一的真正的向导。而且，如果你不能听到这种声音，那么你的一生都会有被人牵着鼻子走的感觉。"没有家长愿意看到女孩迷失方向，然而企图牵着女孩鼻子走的，有时恰恰是家长自己。

亲爱的，你要点什么？

1989 年，日本漫画大师宫琦骏推出动画电影《魔女宅急便》，讲述了小魔女琪琪的修行故事。所谓"修行"，就是指魔女们到了 12

岁，必须离开家到陌生的地方，开始一年的独立生活。

琪琪所拥有的魔力就是飞行。在异乡的生活中，琪琪利用自己的飞行能力为人送快递赚取生活费用，但是她的独立生活还是面临很多困难：同龄人的嘲笑、处理与陌生人的关系、送货中的失误、魔法的失效……这些困难看起来跟普通女孩没什么两样——事实上，宫琦骏也并没有把小魔女描写的高不可攀：琪琪只有一点飞行的魔力，而这种魔力还会受心情和体力的影响，在心情极度恶劣、丧失信心的情况下，魔力还会消失。

回头看，琪琪的故事正以不同的表现形式真实地再现着女孩的生活，正如宫琦骏所言："在这部电影里，会飞的魔法不过象征着一种今天的女孩们可能拥有的某种才能。飞行的能力把她从陆地上释放，但自由也意味着烦恼和孤独。她必须面对和克服这些困难才能真正独立。"

我们从女神伊娜娜的生死之旅讲起，探讨了女孩在现实与梦想间徘徊时的困惑与惶恐，并且试图传达这样一种观点：只有女孩内心的声音才能帮助她们"通过黑暗转换时期"，真正独立和强大起来。这个声音就是女孩内心深处对自己的衡量和把握，对自己的判断和指引。这就是女神伊娜娜最渴望得到的东西。琪琪的魔力不也在于此吗？

但是，我们担心女孩会在精神上迷失，并不意味着我们赞同这样的观点：只有男性才是理性思考问题和理智解决问题的人；女性的智力则不够聪明，只能依赖于她们的直觉来解决问题。我们的担心是，所谓理性的选择是否就是最佳的选择？如果女孩听从了理性的劝导，而忽略了自己内心的声音（它常常以直觉的形式出现），甚至违背了自己的意愿，这样的选择就是正确的吗？最根本的问题是，女孩应该作出自己的选择吗？

一个三口之家到餐厅用餐，他们带着 8 岁的女儿进入儿童服务区——这是为有儿童的家庭准备的区域。

笑容可掬的服务生穿着印有米老鼠图案的色彩鲜艳的衣服走过来。他先问母亲要点什么，接着问父亲要点什么，之后问坐在一边的小女孩，"亲爱的，你要点什么呢？"

女孩说："我想要热狗。"

"不可以，今天你要吃火腿三明治。"母亲坚决地说。

"再给她一点生菜。"父亲补充说。

服务生没有理会父母的提示，他目不转睛地注视着女孩问："亲爱的，热狗上要放什么？"

"哦，一点西红柿酱和黄酱，还要……"她停下来怯怯地看一眼父母，服务生一直微笑着耐心等着她。女孩在服务生的目光鼓励下说，"还要一份蔬菜沙拉。"

"好，谢谢。"服务生认真地记下菜单，转身径直走进厨房，留下两位瞠目结舌的父母。

"你知道吗？"他们在惊讶之余，听到女儿轻轻地说："原来我也没当真的。"

"原来我也没当真的。"当女孩被问及自己的看法，往往会应付了

事，因为她知道这不过是"形式主义"。然而当提问者抱有一种认真的态度，女孩就会惊讶、不安，然后开始认真地思索。"每个人都有与生俱来的潜能。"《魔女宅急便》中，热心的女画家对丧失信心的琪琪说。当女孩循着自己内心的足迹，郑重其事地作出自己的选择，她的潜能就会像魔力一样，发挥出超凡的力量。她不再被怂恿向男孩看齐，也不再为自己得不到尊重而沮丧，她会听从自己内心的声音，独立而富有智慧。这样的女孩才是真正的公主，因为她们是精神的贵族。

为女孩打开机会之窗

有一只小猴子不幸掉进了猎人的深井，它不甘心束手就擒，就拼命地往上爬。

井口聚集了很多小动物，大家都对小猴子的遭遇表示同情，不由自主地为小猴子担心：

"猎人的井这么深，它怎么可能爬上来呢？"

"井壁这么滑，小猴子可怎么办呢？"

"小猴子不可能爬上来的……"

"是啊，不可能不可能……"

小动物们议论纷纷，摇头叹息着。它们又要失去一个好朋友了。

在井下的小猴子听到这些议论，非常不甘心。它决定爬爬试试。它咬紧牙关，时而攀住岩壁的小草，时而把住壁上的小坑，一步步地往上爬。离井口越来越近了……然而，小动物们的议论声也越来越大了：唉……这怎么可能呢……它不可能不可能……

小猴子的勇气被一点一点地打消了，它越来越觉得自己真的不可能爬出去。终于，小猴子筋疲力尽，手一松，掉了回去。这时，井上的小动物又感慨地说："看，说不可能吧。唉……"

就像伊娜娜的神话一样，女孩都要经历"从天堂到地狱"的转换过程。可是，当女孩掉进命运的深井，家长们难道只能为她端一杯热茶，期待着女孩原始智慧与情感的成熟与救赎吗？只能在深井的上面，忐忑不安地等待结果的来临，准备为女孩求情吗？这当然不是我们的答案。女孩真正的幸运，莫过于有一对懂得理解、支持、鼓励与付出的父母。事实上，当女孩从梦中醒来，试图把纷繁复杂的世界看个清楚时，父母的人生观和价值观就已经根植于女孩的内心深处。当女孩们模仿着母亲做饭的样子，模仿父亲说话的表情，她们也在模仿着父母看世界的眼光。父母的影响是潜移默化的。它不仅塑造女孩的人生观和价值观，还描画着女孩看自己的表情。如果父母眼中的女孩正直自信，女孩就不会辜负这份信任；如果父母眼中的女孩懦弱无能，女孩就会对自己产生怀疑。女孩从父母的眼睛里看到了自己，她的自我意识由此产生深刻的烙印。

就在那只小猴子掉进深井的一个月后，又有一只小猴子失足掉了进去。

这一次，小动物们更难过了：

"上一次，曾经有一只小猴子掉进去，再也没出来！"

男孩穷着养
女孩富着养

"那只小猴子可是爬树比赛的冠军呢！"

"井那么深，岩壁那么滑……"

"这一只要瘦弱得多，它更不可能爬出来了！"

"是啊，不可能不可能……"

但是，这只小猴子跟它的"前任"一样，也表现得非常不甘心。只见他攀住岩壁，开始往上爬……

"不可能不可能……可怜的小猴子……"

议论声越来越大了，这一次再没人坚信小猴子能爬出来了。

然而，这只小猴子却非常执著，不管大家说什么，都不能影响它向上爬的决心。一步，两步……再爬一步……终于，小猴子爬出来了！

小动物们太惊讶了，这个小猴子怎么可能创造奇迹呢？大家纷纷围住它，向它讨教胜利的秘诀。

然而，小猴子却什么也没有说。因为他根本就不会说话。原来，这个小猴子是一个聋子！

意志并非是决定事情成功与否的唯一理由。但有些时候，可能与否的界线是模糊的。这正如女孩的潜力：它真的存在吗？女孩真的能做到吗？是的。我们回答。寄女孩予希望，帮助她们设定一个合理的目标，只有抱有积极心态的家长才有能力听到女孩内心的声音，并且为女孩打开机会之窗。

命运的"种子"

"露西 8 岁的时候，我给她做了一块小黑板，从此她每天都教邻居 4 岁的彼得和 5 岁的杰瑞识字。现在她是一所中学的教师，学生们都很喜欢她。"

"有一次，我给 12 岁的安娜买了一个漂亮的芭比娃娃。接下来的日子我发现，安娜经常给娃娃做新衣服，以至于耽误了功课。她做的衣服剪裁还不够细致，针脚也不够整齐，可是非常有创意。她也很善于搭配色彩和花纹。现在她正在读服装设计专业。"

"一天晚上我在厨房做晚饭，听到客厅传来悠扬的歌声。这歌声太棒了！我走进客厅，以为是电视里在上演精彩的节目，然而我看到 10 岁的安妮在随着伴奏的音乐唱歌。现在她已经出了自己的专辑，我是她忠实的歌迷。"

每个女孩都是一粒亟待发芽抽枝、开花结果的种子。也许她是玫瑰花种，将来会绽放出绚烂的玫瑰；也许她是一株小草，将来会焕发出绿色的、倔强的生机……然而有一点不容置疑：这些女孩都有与众不同的天赋。

美国波士顿大学医学院教授加德勒把孩子们可能具有的天赋归结

为六种智能，并且认为，那些受到鼓励的孩子至少可能发展其中的一种智能：

语言智能

"萨拉刚上小学一年级，我们为了让她专心学习，开始禁止她看电视。但是萨拉还是可以得到很多机会，听到那些精彩的电视节目。电视上的广告是经常重复播放的，往往这些广告刚开始播放，萨拉就已经流利、绘声绘色地背出了下面的广告词。有些广告萨拉可能只听过一遍。"

"听"是女孩得天独厚的心智能力。这种能力使她们在阅读上占得先机。然而这并不是全部。与男孩相比，语言智能是女孩很早就显示出的天赋之一。由于大脑结构的优势，女孩通常比男孩更早、更生动、更流利地使用语言，通常男孩到 4 岁半才能讲清楚自己想要表达的内容，而女孩 3 岁时就能做到了。等女孩到了 16 岁，她联系着大脑左右半球的神经纤维——胼胝体比男性大 25%，这使她们的左右脑半球交流更多，更容易用语言表达情感。甚至女孩大脑内负责语言和写作的区域也更活跃，所以女孩能使用更多词汇，写作也更生动、细腻。

女性经常被认为是喋喋不休的。曾经有人戏谑说："一个女人等于 500 只鸭子。"还有人喜欢拿更年期的女性多语症说事。人们不喜欢女性毫无顾忌地宣泄自己的情感，于是文化开始告诫女性要学会克制和忍让。然而，这其中隐藏的弊端是，女孩该不该发表自己的看法？她们应该怎样利用自己的语言优势？过度的克制会不会掩盖了女孩的真实意图，埋没了她们的这种天赋？传统文化一直宣扬女性用保持沉默来取悦他人，这样的要求是与女孩的天性背道而驰的。

庆幸的是，我们的社会正给予女孩更多的话语权。或者我们的家长应该和女孩一起，尝试用什么方式可以说出自己的感受和体验、表达自己的观点。特别在女孩的转换时期，家长要注意到自己曾经活泼可爱的女孩开始变得沉默的情况。家长们要保护女孩，防止她被过度的自尊打败，鼓励她克服自卑的情绪和试图牺牲个性维持和谐的想法。"有一次数学课，我用一种简单的方法做出一道复杂的题目，但是老师并不承认我的做法。然而我的父亲却说，'莉萨，你是对的！'父亲太棒了！"也许有人很难相信，女孩能看见那些被我们忽略掉的东西。创造是宝贵的，为什么不让女孩把这个伟大的发现说出来呢？

音乐智能

2005 年的一天，美国精英教育中心（CEE）总裁 Joann Di Gennaro 来到上海，亲自面试并选拔了 3 位高中生，这 3 名高中生将和全球 75 名高中生一起，获得免费参加由麻省理工学院举行的"杰出青年科技夏令营"的机会。

面试中，音乐素养和自主学习的能力被当作选拔的标准。谈到"音乐素养"，Joann Di Gennaro 说："经过调查发现，音乐对一个人的数理化学习帮助很大，特别是钢琴、小提琴、大提琴对学习数学很有帮助，而这方面很少有人关注到，所以，我们在优秀人才中再'千里挑一'时，特别注意考虑其是否具有一定的音乐素养。"

音乐素养和科学会有什么关系？人们一般都认为：科学思维属逻辑思维，主要用左半脑；音乐思维属形象思维，主要用右半脑。这一

左一右，似乎是两码事。然而，普林斯顿大学基因研究所所长波茨坦却说："音乐和科学，都需要秩序和心智的自律。这种直觉本领，音乐家需要，生物学家也需要。"

科学家与音乐"联姻"的例子不在少数。爱因斯坦既会弹钢琴，也会演奏小提琴，谙熟贝多芬、巴赫等音乐大师，他甚至认为他拉小琴的成就，比在科学上的贡献还大；数学家华罗庚谙熟音律，他在琵琶弦上所找到的音色最佳点与著名琵琶演奏家刘德海经长期测定所得到的恰好相符；古希腊学者毕达哥拉斯有一天路过一家铁匠铺，听出这一家的敲击声比别家的更和谐悦耳，他量了量铁砧和铁锤的大小，终于发现了音响的和谐与发声体存在一定比例关系的规律……

既然音乐与科学思维的联系如此紧密，我们不妨把音乐添加到对女孩的教育中，以弥补女孩在数理思维方面的不足。英国伦敦教育学院的专家们曾经做过一个试验，他们将受试儿童分成 A、B、C 三组。A 组儿童欣赏阿尔比诺尼轻柔优美的《慢板》，B 组儿童聆听克尔特林的爵士乐《三位一体》，而 C 组儿童则什么也不听。此后，三组儿童又都接受了阅读理解、记忆单词、背诵课文和四则运算测试，而测试内容完全是刚刚新学的新知识。最后的结果显示，平均成绩最优的是 A 组，其次是 C 组，而最差的则是 B 组。

科学家们的结论是：轻柔优美的背景音乐对孩子的大脑认知机构具有积极作用，过分活跃或带有攻击性的背景音乐却会起到相反的作用。那么，对女孩进行适当的音乐教育效果如何呢？对此，教育家铃木镇一就曾经提出通过拉小提琴开发和提高孩子能力的教育方法。

"为培养孩子美好的心灵、敏锐的感觉、优良的能力而让孩子学拉小提琴，即通过小提琴来塑造人。"铃木镇一如是说。在他的指导下，那些看起来资质平庸的孩子，奇迹般地变成"天才"儿童。铃木镇一的成就轰动了世界，被美国报纸评价为"小提琴教育法革命"。

也许，对我们的家长来说，"小提琴教育"已经不能称为革命，现在的孩子，业余时间学习钢琴、小提琴已经非常普遍，但是很少有家长意识到音乐学习对孩子的特殊作用。当音乐成为孩子的课余"牢笼"，它的魔力就已经消失殆尽了。这将是我们在下面探讨的问题。

数学智能和空间想象智能

女孩可以学数学吗？为什么理科班女生的数量少于男生？现实的情况是，数学智能和空间想象智能的确不是女孩的强项。也有人不承认这一点。他们把这种差异归结为文化的因素。他们认为，男孩受鼓励去探索、冒险和从经验中学习，这些都有利于他们提高理科成绩。然而，如果读者认同探索、冒险和从经验中学习都是男孩的天性，也就不会再为女孩在理科上花费更多的时间而感到困惑和苦恼了。

但是，我们仍然可以为女孩做些什么。研究发现，女孩早期所做的一些富有创造性的、想象力丰富的游戏，例如拼图和组装三位物体，将有利于她们拓展这些智能。

函函小的时候，学习用铅笔写字，当她看到妈妈用的是钢笔时，感到非常好奇。妈妈就把废旧不用的钢笔给她，让她看看有什么不一样。函函把钢笔拆开，觉得里面的构造很有意思。后来，家里的收音机坏了，函函就把它拆开来研究。久而久之，函函的空间想象和逻辑思维能力得到提高。函函现在一所重点大学学习电子工程。"很多女生觉得这很复杂。"函函说，"可对我来说，这就像儿时的游戏一样有趣。"

身体动觉智能

当男孩们还在为写不好字而着急时，女孩已经初显心灵手巧的潜能了。女孩手的小肌肉群灵活协调的发展，使她们能够充分开发利用"手"的功能：有些女孩对色彩比较敏感，她们很早就可以握住画笔，按自己的意图画出喜欢的动物、花、草和小房子；有些女孩对针线、细小线绳情有独钟，看到妈妈织毛衣、做针线活，她们也会找些碎布织织缝缝；有些女孩天生有一双美丽、细长的小手，特别适合弹钢琴；有些女孩对书法感兴趣，泼墨挥毫，像模像样……

当女孩画出自己的第一幅"画"、缝制出第一件"服装"、写出第一个毛笔"字"时，家长要懂得鉴赏，给予适当的褒奖。当然因为年纪小，女孩做得还不尽如人意，因此有些家长就担心女孩被针扎伤了手，或者因为她们在墙上、地上作画而大发雷霆。然而，家长们只看到事情消极的一面，却没有注意到其中女孩所展示出的才华，他们更没有意识到，女孩的才华就像矿石一样，如果不被发现，就失去了闪亮的机会。家长们为孩子的胡闹、调皮而头疼，因为怕麻烦而不给女孩锻炼的机会，殊不知，这却在无形之中扼杀了女孩的艺术创造力。

给予女孩"创作空间"是必要的。对于小手灵活的女孩，家长不妨多创造一些机会，让女孩尽情施展自己的创造力和想象力。例如，家长可以给喜欢画画的女孩准备好一些大的纸张，铺在地上或放在桌椅面上，让孩子尽情创造；如果女孩对针线感兴趣，家长可以给孩子准备一个"巧手篮"，放一些不用的布头儿或者毛线，用来给小娃娃缝制新衣。在孩子创造的过程中，家长还可以给予女孩适当的指导，例如告诉孩子针的用法，孩子自然会小心的。对于女孩的作品，家长也应该进行夸奖，家长的夸奖往往会成为女孩的积极暗示。

舞蹈也是一些女孩的最爱。当女孩随着音乐起舞的时候，她们的音乐感、音准、韵律、节拍的敏感度和数学逻辑都得到了提高，脑部及身体协调能力也得到了锻炼。然而，舞蹈对女孩的先天条件和性格、年龄是有一定的要求的，例如：跳芭蕾舞的女孩身材要符合"三长一小一个高"（即长胳膊、长腿、长脖子，外加一个小脑袋，高是高脚背）；性格太内向、太"含而不露"的女孩不容易学好舞蹈；女孩学习舞蹈一般来说从幼儿园中大班开始，也就是4岁左右，比较正规的舞蹈训练，一般要到小学以后才开始。这些家长们都应该注意。

有造诣的舞蹈家、工程师、运动员都具有很好的身体动觉智能。开发女孩的身体动觉智能，不但可以提高女孩的专注力、自信心、观察力、集中力和记忆力，还可以培养她们独特的气质和形体。毕竟，在我们的文化中，在学历相似的情况下，女孩的谈吐和外在形象将在很大程度上确定差异和优势。那么，让女孩在享受艺术美的同时，潜移默化地提升自身的素质，陶冶情操，何乐而不为呢？然而女孩自己的兴趣是重要的。家长们一方面要给女孩多看、多做、多练的机会，一方面也不能违背女孩的意愿，主观决定女孩的"一技之长"——无谓的压力毕竟不是成才的最佳方案。

人际智能

我们一直在用各种方式和角度重复这样的观点：女孩把世界看成一种关系，她们倾向于关系式的生活方式。女孩的优势也将围绕关系展开——她们天生喜欢语言、社交和与人交流，这促使她们去发展与之有关的技能。如果读者理解了女孩这种关系趋向的模式和世界观，我们关于人际智能对女孩意义的解释就显得有些多余了。

需要指出的是，关系式的行为并非女性独有。男孩生来也具有这种能力，只是他们很快就被主流文化引导到自主性上来了。人际智能并不是女孩独一无二的能力，但是对女孩来说这无关紧要——既然女孩更倾向于关系式的生活方式，主流文化也对这种方式表示认可和赞同，那么女孩就更容易开发并利用这种职能，让其更好地为自己和他人服务。

"珊妮小时候是我们社区的孩子头。她总喜欢带着一帮孩子玩，孩子们有了什么纠纷也总来找她解决。有一次我看见她处理两个孩子的矛盾，邻居的杰克和拉塞尔——他们并不比珊妮小，但是他们都对珊妮的能力表示赞同——几个孩子很快就表示和解，继续愉快地玩耍，而我却陷入沉思。很明显珊妮具有某种能力，她知道别人需要什么，并总能给予安慰。现在珊妮经营一家企业，她的员工以她为荣；她还有一个幸福美满的家庭，丈夫的事业没有她那么成功，但这一点也没有损害他们的感情。"

了解别人的能力是人际智能的一种类型。具有这种智能的女孩善于发现别人的特征，她能很快识别出电影或小说里的人物是否为反面角色。家长可以支持女孩表现戏剧小品，并同她讨论电视剧里的人物角色。如果要求女孩就某个熟悉的人物写一篇文章，女孩的表现可能会让家长感到吃惊。

另一种类型是洞察自身的能力。这种能力对女孩非常重要。它意味着女孩能否倾听内心的声音并采取适当的措施。具有这种智能的女孩，知道自己想要的是什么，也知道如何计划以及最大限度地发挥自己的能量。对此我们之前已经有所介绍，在此不做赘述。

牵着蜗牛散步

上帝给我一个任务，叫我牵一只蜗牛去散步。

我不能走得太快，蜗牛已经尽力爬，但每次前行都是那么一点点。

我催它，我唬它，我责备它。

蜗牛用抱歉的眼光看着我，仿佛说："人家已经尽力了嘛！"

我拉它，扯它，甚至想踢它。

蜗牛受了伤，它流着汗，喘着气，往前爬。

真奇怪，为什么上帝叫我牵一只蜗牛去散步？

"上帝啊！为什么?"天上一片安静。

"唉！也许上帝抓蜗牛去了！"

好吧！松手了！

反正上帝不管了，我还管什么？

我苦恼着，任蜗牛往前爬，自己坐在后面生闷气。

咦？我闻到花香，原来这边有个花园。

我感到微风吹来，原来夜里的风这么温柔。

慢着！我听到鸟声和虫鸣，我看到满天的星斗多亮丽。

咦？以前怎么没有这些体会？

我突然想起来，莫非是我弄错了？

原来上帝叫蜗牛牵着我去散步！

此文作者张文亮博士，是台湾大学生物环境系统工程学系教授，同时也是著名作家，以意味隽永的小品文誉满台湾。他的这篇《牵着一只蜗牛去散步》在网络上流传甚广，发人深省——在这个一切都"商品化"的时代，世界前所未有地"快"着，"牵一只蜗牛去散步"，这岂不是逆世界的潮流？对于忙碌的现代人而言，时间该怎样利用？我们希望把每一份每一秒都用在有价值有意义的事情上，那么，什么才是有价值有意义的事情呢？

一天下午，父亲收拾家里的旧书箱，无意中发现了自己和女儿爱丽丝的旧时日记。他随意翻开自己的日记，其中的一页写道："今天跟爱丽丝去钓鱼，但是居然一条鱼也没有钓到，糟糕透了，真是没有收获的一天！"

钓鱼？是的，爱丽丝小的时候，他们曾经去钓鱼，可他不记得有过这样的沮丧一天。女儿现在已经长大，在外地工作，什么时候他们还能去钓鱼呢？

怀着复杂的心情，父亲翻开女儿的日记，找到钓鱼的那一天，日记上认真地写着："今天跟爸爸去钓鱼，玩得很愉快，这是高兴的一天！"

这是现代人的怪圈：人们每天奔波劳作，疲惫不堪，应付着没完没了的事情。如果被问起，为什么选择这样的生活，人们会想当然地回答："为了以后生活得更好呗！"可是，以后是什么时候呢？当这种风潮波及孩子，我们也在督促孩子："好好学习，将来……"将来又在哪里呢？一个雇员对老板说自己生病了，老板甚至对他说："好好休息，抓紧时间工作。"这是怎样的社会？人们所追求的闲适的生活——人们为筋疲力尽的生活所寻找的借口——到底在哪里呢？

没有人愿意停下来。放慢了脚步的人只会感到恐慌。现代生活就像传说中的红舞鞋一样可怕。一切都在速成，自然规律已经成为过去式：养殖场的鸡、大棚的蔬菜、速食面，甚至是现代的孩子。我们有多久没有在一个下午的时光里"什么都不做"，只是聊聊天，钓钓鱼？台湾作家三毛曾经带孩子去大自然，当她为自然的一切陶醉不已，却发现同行的孩子心不在焉。孩子怎么了？在最应该与自然心心相印的时刻远离自然，是孩子的错吗？

美国莱斯大学学者裘斯洛·埃格这样形容中国新一代的年轻人："他们是被放置在一个超常发展的城市化进程中成长起来的……他们接受的不是一种人的自然成长，而是一种类似工具的积累进化。"裘斯洛的见解独到而犀利。这无疑给家长敲响警钟：我们养育孩子的方式是否正确？我们是否正在心急火燎地"拔苗助长"？最重要的是，在这样冷漠的、反自然的教育中，孩子快乐吗？她能够成长为健康（不仅仅是身体）的成年人吗？

特别对于女孩，这是更为残酷的危机。当天真烂漫的女孩遭遇机器人的生活，她们只能把自己隐藏起来，这可能才是女孩自我封闭和自我中心的根源。一个不知道如何与别人友好相处的女孩，她的生命怎能不带有严重的缺憾呢？

当家长把女孩送去学习画画、舞蹈、书法、小提琴，把功利性的培养当成潜能的开发，把自己的希望当成孩子的需要，用自己的经验代替孩子的自我探寻，谁去关心女孩们真正在想些什么？在"都是为你好"的旗帜下，女孩的兴趣被忽略，天分被埋没，话语权被剥夺，她们忘记了休息的时间，或者在休息的时间里无所适从，她们是在为谁思考？当女孩打破她们内在的节奏，封闭内心的声音，旋风般地从摇篮走向成人世界，她们成熟的躯体里还有多少孩提时的梦想？她们真的已经金戈铁马、能够适应那些成人的压力吗？

教育孩子就像牵着一只蜗牛在散步。和女孩一起走过孩提时代和青春岁月，虽然也有被气疯和失去耐心的时候，然而，女孩却在不知不觉中向我们展现了她生命中最初最美好的一面。女孩的眼光是率真的，女孩的视角是独特的，家长为何不放慢脚步，把自己主观的想法放在一边，陪着女孩静静体味生活的滋味，倾听女孩内心声音在俗世的回响？给自己留一点时间，从没完没了的生活里探出头，这其中成就的，何止是女孩。

她开始约会了

妮妮16岁了，她长得很秀气，而且擅长舞蹈，很受男孩子的欢迎。很多男生给她写情书，可是这并不是妮妮想要的。妮妮喜欢隔壁班高三年级的孙建——一个学习很好、酷酷的男生。

一开始，孙建并没有注意到身边的这个"小丫头片子"，可是一次联欢会上，妮妮的独舞吸引了他的视线。于是，彼此吸引的两个年轻人开始了秘密的约会。

跟众多的年轻情侣一样，两个人也有很亲密的举动，但是妮妮一直严守防线，两个人并没有跨越雷池。

被妮妮冷落的男生们很快就发现了蛛丝马迹，然后，他们的故事被传到校园网上，并配以大幅的照片。妮妮和孙建很快就成了校园的公众人物。

事情变得越发不可收拾了。在巨大的压力下，孙建把罪责全推在妮妮头上，孙建的妈妈也来到学校，当众羞辱了妮妮。妮妮的妈妈也很愤怒，她把妮妮锁在家里，说她给家里丢了脸，还不如死了算了。妮妮受不了接二连三的打击，终于在一个半夜离家出走。半年以后，等家长找到妮妮的时候，她已经以出卖肉体营生了。

青春期女孩开始交男朋友，这件事情总让家长们感到紧张：会不

会耽误学习？会不会遭遇感情的打击？更重要的是，她会正确处理与性有关的问题吗？

青春期的爱情是不成熟的，但并不是可耻的。它是女孩在这一阶段正常发育的表现，家长大可不必用一些冠冕堂皇的理由去阻止女孩结识异性和谈恋爱，更不必将其视为洪水猛兽。毕竟，爱情是女孩必须经历的环节和步骤，只是对于不同的女孩，会有时间的早晚而已。然而，中学时期的浪漫史很少是延续终生的。因为个性的不稳定和不成熟，年轻的男女很难处理好恋爱中所遇到的问题，而成长所带来的改变往往是导致感情变化的根本原因。但是让陷入恋爱中的女孩明白这些道理是一件很困难的事。这时间的女孩，正因为第一次恋爱而满怀自信，她们不相信所谓的变故，总以为自己的爱情与众不同，会改写历史。

无论如何，聪明的家长懂得在适当的时机给予女孩必要的建议。但是面对为了保卫爱情而警惕心十足的女孩，家长必须学会表达的方式。露丝最近显得很苦恼。在一个夏日夜晚，露丝跟妈妈坐在阳台乘凉的时候，妈妈问道："亲爱的，你最近有点不一样。我可以帮你吗？"露丝点点头，于是她把自己在恋爱中的问题和盘托出。取得女孩的同意是第一步。这样家长才能让女孩自己从固守的堡垒中走出来。即便如此，家长也不能以为自己有解决所有问题的责任——建议只是建议，它可以被接受也可以被拒绝，感情是女孩的，她有这个权利。这与家长的权威没有任何关系。如果家长们迫不及待地追问女孩关于建议的实施情况，女孩就会觉得自己被控制了，她的逆反心理可能会让家长之前的努力付之东流。

事实上，对于那些家庭生活幸福的女孩来说，因为享受了父母足够的关爱，她们是不急于发展恋爱关系的。这些女孩对父母有朋友般的信任，在结识异性和恋爱的过程中，会把父母当作最好的顾问专家。在父母的指引下，她们可以更从容地面对青春期的迷茫，更懂得爱人与被爱。

不可缺少的一课

17 岁的苏静考取了职高，并且交了第一个男朋友。男朋友已经在读大学，比苏静大 5 岁。

在与男友的交往中，苏静感觉到了男友的"渴望"，但是她拿不定主意，要不要突破那道"防线"。

对此，苏静的男友表示理解："她是一个洁身自爱的女孩。我尊重她的想法。"

但是这并没有打消苏静的不安。"我知道他不能阻止自己有这样的渴望。我该怎么办呢？"

真正让那些青春期女孩的家长如履薄冰的，恐怕是性的问题。关于性，中国的家长们普遍有一个误区，就是认为对孩子的性教育最早也应该是从青春期开始。事实上，对女孩进行性教育最有效的时期是 14 岁之前。要知道，在女孩变成美丽的蝴蝶之前，性的发育已经悄然开始了。

"太早了吧！我的女孩还这么小！太早的介入会不会让她受伤害？"家长们可能带有这样的疑问，然而他们也会尴尬地发现，3 岁的女儿正在摸自己的生殖器。这并不奇怪。3 岁的女孩已经知道触摸

生殖器会获得快感，家长的责怪可能会使她有羞耻感，但不能阻止她的行为。对于那些被刻意隐瞒真实情况的女孩来说，伤害才是最可能的。"18 岁以后，当我第一次看到有关性的解释，我才意识到，小的时候我曾经被邻居侵犯过。这真让我愤怒！"让女孩免于伤害的第一步是：公开回答女孩关于性的问题。在开放性的谈话中，家长应该尽量使用精确、科学的词汇，这不但可以让自己的解释更清楚，还会让女孩体会到，性是一件正常的事情，并没有那么神秘。

对于女孩来说，生活中有很多比性更美好的事情。特别是青春期女孩，性冲动中好奇、释放压力占了很大部分。因此，保持女孩的生活情趣，让女孩的生活中没有空白也是很好的方法。如果女孩在心理上已经摆脱了对性的神秘探求，生活又是丰富而多姿多彩的，她是不会有时间关注那些成人话题的。

关于性的教育是一个长期的过程。一次严肃的思想启蒙式的专题谈话并不适合家长。实际上，家长有很多闲聊的机会可以告诉女孩这些，家长关于性的看法也将深刻地印在女孩的大脑里。也许孩子会问起："你和爸爸（妈妈）怎么样？""我们很好。"家长可以这样回答，"我不想过多地谈论细节问题。这是我与你爸爸（妈妈）之间非常特别的事情，就像将来你与你爱上的那个人之间的事情一样。"家长与其担心女孩会因此受到伤害，不如让女孩了解、珍爱并保护好自己的身体，以及学会防范伤害的措施：

教育女孩珍爱自己的身体　虽然关于"处女"的讨论铺天盖地，我们仍然没有必要在这个问题上争执不休。一个被强奸的女孩就失去贞节了吗？我们的回答是否定的。然而我们却有必要理直气壮、开诚布公地对女孩说，在 18 岁之前，女孩应该学会"洁身自爱"。我们还有必要告诉女孩性行为的后果，以及在性器官接触之外的其他释放性压力的方式，如自慰、转移注意力、积极参与两性同在的文体活动等等。"你是上天的礼物。"妈妈可以对女孩说，"我们应该怎样珍惜这份礼物呢?"家长们应该让女孩懂得，只有珍爱自己——包括灵魂和身体——才能享受到完美的性爱。

规避文化中的性信息　互联网时代一个重大的危机是，我们很难控制垃圾信息的传播。尽管家长们力求在一个高雅、健康的环境中养育女孩，那些关于性虐待、性暴力、男性至上等信息糟粕却无孔不入。很多时候，成人们一笑置之："喔，这不过是堆垃圾!"女孩们可不这么看。对于成长中的女孩来说，"出淤泥而不染"是困难的。因此，家长们要管好家里的电脑，尽量不要让女孩关注这些东西。如果女孩要看，家长不妨借此跟她讨论一下性价值观的问题。不要让女孩学会期待在性方面被男人利用，家长们需要把互联网给予女孩的混乱性信息清除，让女孩有一个清醒的认识。

教会女孩设立警戒线　10岁的苏珊在放学回家的路上，碰到了邻居的哥哥，18岁的汤姆。"我送你回家吧!"汤姆说。于是苏珊跟同伴们说声"再见"，高高兴兴地坐上了汤姆的汽车。但是汤姆并没有送她回家，而是将车开到一个偏僻的地方，对她进行了性侵犯。

据美国估计，至少有1/4的女孩和1/10的男孩在16岁前受过性骚扰，其他西方国家报道的发生率也与此大体相似。近年来，我国青少年中性冒险行为也逐渐增多，少女怀孕以及感染性病、艾滋病的事例屡见不鲜。我们把原因归结为混乱的信息时代。但是，在这样的时代里，女孩该怎么做呢?家长们的一个重要的责任就是:要教会女孩设立警戒线，在必要的情况下说"不"。这些警戒线可以包括:

当陌生人要求女孩跟她走的时候；

当男孩要带你单独外出或回家，并且不让你告诉家长的时候；

当男孩要你脱衣服的时候；

当你必须一个人行动的时候；

当男孩要跟你做让你觉得好笑和奇怪的"游戏"的时候；

……

这样的警戒线还有很多。女孩要做的就是及时说"不"，离开现场（甚至逃跑）以及告诉家长。

面包自己挣，玫瑰要他买

夏兰有一个看起来幸福美满的家庭，然而她的家庭中却有不为人知的苦涩——夏兰的父母感情不和，虽然住在一个屋檐下，却长期分居，甚至他们都有自己真正的"另一半"。但是因为一些特殊原因，他们没有离婚，对外保持着"苹果皮式"的和谐。

夏兰很小就希望自己有一天能够离开这个虚伪的、冷冰冰的家庭。大学的时候，她遇到了自己的"白马王子"，并迅速坠入爱河。于是，夏兰就把希望寄托在男友身上。她的生活以男友为中心，事事都要男友拿主意，把男友的话当做自己的行动指南。

男友说你太胖了，原本体形标准的夏兰马上开始减肥；男友在校外打工，夏兰就每天给男友送午饭。然而即便如此，他们的感情还是持续降温，男友的挑剔越来越多，夏兰也越来越觉得自己千疮百孔，一无是处。

一个周末晚上，夏兰去超市采购，希望给男友做点夜宵，等他打工回来吃。然而，她却看见男友跟一个女孩亲密地走在一起。男友对女孩呵护备至，就像最初对夏兰一样。夏兰还看到，那个女孩比已经弱不禁风的夏兰要丰满许多。

当女孩长大成人，面临人生的重大选择——恋爱婚姻的时候，家长们不由得把警惕心又提高了几分。中国有句俗话："男怕入错行，女怕嫁错郎。"女孩一个错误的选择可能会延误终身，家长怎么会不担心呢？

夏兰的结局是家长们所不愿看到的。一个痴情的、唯男友马首是瞻的女孩却遭到男友的抛弃，这是在任何时代都不缺少的悲剧。问题究竟出在哪里呢？女孩为什么会被男友玩弄于股掌之中？当我们为女孩的遇人不淑、看错眼而惋惜、为男孩的薄情寡义而不齿的时候，还有什么问题是我们所忽略的？

以夏兰为例，她的男友并不讨厌丰满的女生，但却以此为借口指责夏兰，这其中自然带有"挑刺"的意思，然而，夏兰是怎么做的呢？——"原本体形标准的夏兰马上开始减肥"，最后变得"弱不禁风"——夏兰并不知道，正是自己"把希望寄托在男友身上"，毫无理由的妥协和顺从将男友推得更远！这就是我们下面将要谈到的问题：女孩应该保持怎样的恋爱态度？正常的恋爱关系应该是怎样的？

保持自我 对年轻的女孩来说，失去自我是最容易出现问题的。这些女孩混淆了"爱"和"占有"的意义，以为相爱的两个人就要时刻待在一起，殊不知，真正健康的恋爱关系就是两个人都有属于自己的空间。对于有些男孩来说，竞争的天性使得他们在爱情关系里试图控制对方，而女孩却误以为被男孩控制是幸福的表示，却不知道，这其实是一个危险的信号。对于喜欢变化和新鲜感的年轻男孩来说，女孩失去自我的牺牲有什么意义呢？

保持平等 在夏兰的事例里，"平等"是一个被忽略的字眼。夏兰的故事并不鲜见，这是因为很多女孩都有跟她一样的"托付心态"。"我把自己托付给你，我愿意听你的话！"这背后的潜台词却是："你要对我负责！"女孩理所当然地想着，却给了男孩一个沉重的包袱。男孩真的能够担负起这个责任吗？甚至，他能够对自己负责吗？如果他只能吃方便面，而女孩却想吃大餐，他如何满足女孩的愿望？失去自由、觉得负累，这简直是男孩的噩梦！

发挥自己的特性 "她跟别人不一样！"当男孩喜欢上一个女孩，往往会这样说。女孩是高贵的公主，我们不止一次提到。是的，女孩的高贵就在于，她懂得倾听自己内心的声音，并信守它。也许男孩不愿意相信，但信守内心的声音的确比信守男孩的诺言要有力得多。"我自己决定做什么，我为自己感到骄傲。"当女孩找到除了爱情之外，能够用双脚坚强站在大地上的东西，就没有什么可以击败她。对男孩来说，不随波逐流的女孩永远都是富有吸引力的。

保持对事业的追求 很多女孩都会面临事业和爱情（婚姻）的两难。在韩国，事业女性结了婚就会辞职在家相夫教子。这对大多数中国女性来说是不可能的。要事业还是要爱情（婚姻）？两者兼顾总有偏重。事实上，解决这一矛盾唯一的办法就是把两者区分开来。家庭永远是女孩的港湾，而事业却是她安心栖息的理由，它无所谓大小，重要的是意义。

保持美丽心情　丽沙买了一只漂亮的蝴蝶结。她把蝴蝶结别在头发上，镜子里的她变得格外动人。于是，她带着蝴蝶结出门了。今天我多么美丽！丽沙跟每一个认识的人打招呼，并从人们的眼里看到惊艳的微笑。开始有男孩过来搭讪，要她的电话号码。天哪，都是因为那只蝴蝶结！丽沙高兴地回到家，推开门，却发现那只蝴蝶结安静地躺在客厅的桌子上。

每个女孩都会觉得自己在某一方面不够完美。年轻女孩的很多烦恼都与外貌有着密切的关系，社会文化恰恰击中了女孩的软肋。杂志上的模特漂亮迷人，人们夸奖女孩也会说："看这个女孩多漂亮！"

"他不喜欢我，是因为我不够漂亮吗？"女孩这样问自己。事实上，外表美的作用并没有女孩想象得那么大。也许女孩要长大一些才会明白，男人的品位是多元的，如何满足他吃了比萨又想吃汉堡的胃口呢？而修养、气质、特色永远是独一无二的。"我就是我！"当女孩时刻保持自信、美丽的心情，就会发现，男孩也会给她相应的回报。

独立的女孩

芊旬的父母是一对工程师，因为工作繁忙，他们直到35岁才决定要一个孩子。姗姗来迟的芊旬因此成为父母的掌上明珠。

但是，父母对芊旬的宠爱充满理性。他们很早就培养芊旬自己动手的能力，甚至全家人出去玩的时候，2岁的芊旬也会背一个小背包，

里面放着自己的奶瓶和婴儿湿巾。

芊甸学步的时候经常摔跤，每一次父母都会说："乖女儿，你自己能站起来，是不是?"等芊甸自己站起来，父母就会说："宝贝，你真棒!"

有一次，芊甸一家去朋友家做客，告辞的时候，大家在门口换鞋，发现调皮的小狗把芊甸漂亮的蝴蝶结鞋带弄丢了。"换根鞋带吧。""鞋码多大?我女儿有一双新鞋。"朋友夫妇热情地帮忙。

芊甸的父母一直没有说话，当他们听到朋友的建议，婉言回绝道："这是她自己的事，要她自己来处理吧。"

只见4岁的芊甸镇定自若地从头上摘下橡皮筋，比划了一下，有些笨拙但却稳妥地把橡皮筋缠在鞋上。鞋子又可以穿啦!

"宝贝，你真棒!"父母不由得夸奖道。朋友看到这一幕，想到自己衣来伸手、饭来张口的女儿，不禁陷入沉思。

在女孩的养育过程中，有很多"美丽的陷阱"，会让家长"误入歧途"。例如，很多家长认为，女孩天性弱小、脆弱，这是性格方面的不足，因此，需要给予她们更多的保护，使她们免受失败之苦。"当我因为对天空的热爱而爬到后院里的大树上时，妈妈就站在我的背后，双手向外伸着仿佛要抓住我似的。她总是不断地提醒我要谨慎——'看着你的脚步，不要爬那么高，别往下看。'直到我不再为我的探险而兴奋为止。"18岁的陈雯如是说，"可我的弟弟磊磊爬到桌子上去够放在高处柜子里的漂亮东西时，妈妈最多也就是笑笑，然后把他抱下来。"父母对帮助女孩表现出更大的热忱，其实就在向女孩透露一个信息："你是弱者，你需要保护，没有我们，你什么也做不好。"多么危险的暗示！这样的结果就是：女孩不再相信自己能够做到，而是理所当然地依赖。小时候依赖父母，长大后依赖丈夫，心甘情愿地做别人生活的附属品。

我们一直强调善待女孩的感情需要，然而这与脆弱是两码事。女孩是感情丰富的，这种丰富的感情如果得到理解和支持，将会产生巨大的力量——很多女孩都会拓展出关心照顾他人，并辅助他人发展的艺术。这是女孩的天赋，而非不足。

女孩也可以有所成就，然而，这种成就取决于女孩倾听并遵循内心声音的能力，而不是父母的过度呵护。当女孩受到父母控制过多时，她们的智力发育比男孩受到的损害更大，她们只会随着时间的推移变得更加失去自我。

总之，女孩必须有关于自己力量和能力的意识。她们不仅仅是精神的贵族。无论她们在学习走路还是在堆积木，都跟男孩一样从尝试、失败、再尝试，直到成功中获得自信、培养自立。她们可能会碰到一些不同于男孩的问题，但是结果是一样的。女孩并不会因为安静、甜蜜和温柔就失去发展和控制自我的能力，就独立的角度而言，女孩和男孩殊途同归。

懦弱的女孩

3 岁的贝贝非常胆小。有一次，妈妈带她去社区的小广场玩，旁边突然跑过来一个 2 岁多一点的小男孩，他直勾勾地盯着贝贝手里的小皮球，非常好奇的样子。贝贝看见了，不自觉地把球往身后藏，然后壮着胆喊："你不许抢我的小皮球！"

小男孩好像看出贝贝的外强中干，冲上来就抢。贝贝吓得嚎啕大哭。妈妈连忙说："小弟弟，你怎么可以抢东西呢？"又对贝贝说，"小弟弟比你还小呢，你为什么怕他？来，和小弟弟握握手，大家做个好朋友。"

小男孩做个鬼脸，跑了。从那以后，他只要看到贝贝经过，就会跑过来打她一下，或者把贝贝手里的东西抢走。而贝贝看到那个小男孩，总是不由自主地躲得远远的。

又有一天，妈妈带贝贝从外面回家，又看到了那个小男孩。小男孩冲过来就要抢贝贝手里的书。贝贝十分害怕，往妈妈身边躲，向妈妈求助。但妈妈为了锻炼女儿的勇气，故意站着观察没有干涉。贝贝很快就哭了，小男孩却越发胆大，竟然伸手去抓贝贝的脸。

这时，贝贝的爸爸从后面跟上来，打开车库的门。贝贝一下子跑了进去，说："爸爸，快关门，不要让小哥哥进来。"看爸爸把门关起来，她才松了一口气，说："小哥哥进不来，打不到我啦。"贝贝竟然将比她小的孩子升级为"哥哥"了。

如果你的女孩也正有类似于贝贝的经历——事实上，大约一半左右这个年龄的孩子都曾经有过同样的遭遇——首先要教给女孩的是，让她学会抵御不友好的对待，学会保护自己。

妈妈对贝贝说："下次小弟弟再抢你的东西，你就大声地对他说'不许欺负我'，然后再把东西抢回来！"第二天，贝贝跟妈妈出门，远远地看到小男孩走过来，妈妈就对贝贝使了个眼色，躲到一边。

小男孩过来了，看到贝贝手里的玩具熊，就上来抢。贝贝鼓起勇气，大声说："你不许抢我的东西！"然后用力把玩具熊夺回来，还把小男孩推到地上。小男孩没想到贝贝变得这么"骁勇"，被她吓了一跳，居然坐在地上哭了起来！

看来，做粗暴事情的孩子也不一定就真的强大。很多事情都是如此，勇敢面对往往才是解决问题的最好办法。但是要让女孩学会"反侵略"，家长还必须注意：

不要动辄恐吓、斥责、嘲笑女孩　"不要哭，狼外婆来了，专吃爱哭的小孩子！"从小李丽哭泣的时候，外婆就这样对她说。现在李丽已经成年，可是每次碰到不开心、想要掉眼泪的时候，她的心里都会闪过一丝恐惧。恐吓就像鸦片一样，它对女孩的副作用要远远大于它的效果。年幼的女孩并没有掌握太多的科学知识，她们很容易就会对家长的戏言信以为真，并且产生深深的恐惧。

过于苛刻的斥责和嘲笑也会产生类似的作用。就像我们之前提到的，女孩的一些调皮行为背后往往隐藏着积极探究世界的愿望，但是当她们每次都会因为犯错被家长大声斥责或嘲笑时，就会变得唯唯诺

诺，缩手缩脚。

对生活带有恐惧心理的女孩，是很难有勇气面对"侵略"的。在被欺负的时候，恐惧心理会卷土重来，像一个巨大的阴影吞噬女孩幼小的心灵。甚至在女孩长大以后，这种阴影仍然挥之不去——即使她们知道，狼外婆只是儿时的童话。

不要过分溺爱女孩 "不要动，小心烫着你！""想吃苹果？妈妈给你削，刀子会伤到手！"正如我们在"独立的女孩"一节提到的，家长的过分呵护会给女孩消极的暗示。在家长的溺爱下，女孩一方面会变得娇纵、不可一世；另一方面，女孩的身体动觉智能也没有得到开发，会对实践产生畏惧心理。这样的女孩在面对"侵略"的时候不知所措，也就不足为奇了。

鼓励女孩对外交往 这是女孩的天性——她们需要在交往中锻炼自己的能力。如果女孩的生活中缺少了这一环节，她们就不知道该如何与别人交往，当碰到不公平的事情时，就更不知道怎么处理了。对此我们将在"孤僻的女孩"小节作重点讲述。

鼓励女孩勇于争取 香港著名女作家梁凤仪小的时候，是一个不敢说话的小女孩。有一次，小凤仪跟爸爸逛商场，就要离开时，她拽住爸爸的衣角说："爸爸，再玩一会吧。"小凤仪并不是贪玩的孩子，她只是想要柜台里漂亮的洋娃娃。爸爸看出了她的心思，却没有主动买给她。终于，小凤仪忍不住了，她用细若蚊蝇的声音说："爸爸，我……想买一样……东西。""买什么？说话别吞吞吐吐，想要什么说出来！""我想买一个洋娃娃！"小凤仪鼓起勇气说。于是，她得到了一个洋娃娃。

谦让是一种美德，争取却是一种能力。当女孩希望得到某种东西或机会的时候，当女孩的权利被侵犯的时候，当女孩面临各种压力的时候……争取不一定获得，但放弃就意味着失去。在很多时候，女孩应该学会为自己说话。

"宠"出女孩的自信　如果我们把"社会"和"竞争"这两个词汇联系起来，懦弱可能是女孩需要克服的最大障碍——我们并不是说，懦弱是女孩的本性。事实上，所有的婴儿生下来，都会害怕怪异的声音。男孩也有类似的问题，只是他们天性中有更多对抗懦弱的成分（例如冒险和攻击性），而社会对于男孩的教育也更有助于他们摆脱懦弱的心境。

这是不是说，我们对女孩的教育会使她们更容易失去自信、懦弱退缩呢？其实不然——女孩的自信是可以"宠"出来的。

在朋友的眼中，小雨是一个特别自信的女孩。每当有人问起"你为什么这么自信"时，小雨都要讲起小时候的故事——从小到大，父母都特别宠爱她，他们觉得自己的女儿是个很优秀的女孩：小雨嫌自己个子高，父母说正好可以做模特；小雨一当众说话就脸红，父母说害羞是一种美德；小雨学习画画，却画得乱七八糟，父母满不在乎地笑笑说："可你的歌唱得特别棒啊，每个人都有长处。画画你再练练，如果不行，就不画了。"小雨想当记者，父母的第一反应就是："以后准备去央视，还是凤凰卫视？""宠"到现在，小雨已经在一家知名的媒体找到了满意的工作，她始终是个特别自信、特别阳光、性格开朗、有人缘的女孩。

知心姐姐卢勤在《告诉孩子，你真棒！》一书中这样写道："成功

是一种感觉，一种态度。'我能行'是成功者的态度，'我不行'是失败者的态度。人改变了态度……由'我不行'变为'我能行'，就会获得成功的感觉，最终改变自己的命运。"

的确，当女孩缺乏自信，即使面对比她弱小的对手也会退缩不前，即使自己的玩具被抢走也不敢要回来……这样的女孩，实际上是把自己放在失败者的假象里，未出征先言败，又何谈将来的成功呢？

孤僻的女孩

因为父母工作的调动，王英转学到另一座城市，离开了朝夕相处的好朋友。在新学校，王英觉得很不习惯，她听不太懂当地孩子的方言，也不知道该怎样跟同学们交流。往往是一群女生在跳皮筋，她却远远地看着，表现出漠不关心的样子。久而久之，王英成了班里的独行侠。一些比她晚来的女孩都已经跟同学们打成一片，她还没跟别人说过几句话。本来就性格内向的王英变得孤僻，她上课不敢举手，遇到问题也不敢问，心情变得格外忧郁。一个学期下来，本来成绩不错的她有好几门功课开了"红灯"。

友谊是女孩不可欠缺的营养液。对于把情感的满足和人际关系的质量作为自我意识标杆的女孩来说，失去友谊和沟通，就像生长在热带雨林的植物被放逐到沙漠里。女孩的很多负面情绪都由此而来：自我怀疑、抑郁、消极、懦弱……很难描述女孩失去感情支持和倾诉的渠道会变得怎样，很可能比人们想象的要糟糕。

如果说集体生活是男孩的爱好，对女孩来说，它意味着更多。艾里姆夫妇把女孩的成长形象地比喻为"编制一幅既大又复杂的挂毯"，他们认为，"女性人格就是在这样的关系和联络中得到自我确定，"也就是说，女孩"随着与他人关系网的扩大，在不断的复杂的关系中发展自我。"对女孩来说，被同伴排斥或不能融入集体不仅仅是一段痛苦的经历，它还意味着女孩将在孤独和寂寞中迷失发展的方向。

因此，家长们应该保持与女孩的沟通和交流，应该花些时间跟女孩在一起，倾听她的想法和感受，而不仅仅是看电视。但是，对于那些陷入"孤僻症"的女孩来说，她们更善于和喜欢隐藏自己的感觉，而不是沟通。不过这只是开始。如果家长有足够的耐心，女孩会逐渐找回沟通所带来的美好感觉，她们会逐渐学会为自己的心灵找到出口，回到健康、正常的轨道上来。

培养女孩的自信和兴趣也是摆脱孤僻的良方。前者我们已经有所论述——一个有自信的女孩更善于处理人际关系，她们会在人群中显得生机勃勃，因此也更受关注。而兴趣的力量也是神奇的：它可以让女孩摆脱人际困扰所带来的恶劣情绪，找到心灵的寄托，也可以成为女孩发展友谊的渠道。

鼓励女孩走出封闭的心境是最直接的措施。"第一步，你只需要微笑。"心理老师对前来咨询的王英说。第二天，王英鼓起勇气对遇到的每一位同学微笑——虽然那笑容还是羞涩的。王英看到了同学们惊讶而友善的表情。"我们一起做吧！"下课了，王英主动去擦黑板的时候，同桌拿起另一块板擦对她说。

发脾气的女孩

南希从电影院回来，显得非常生气。她看到桌子上的晚饭，禁不住大声抱怨："妈妈，你又做胡萝卜！你知道我不喜欢吃胡萝卜！"

"你好像很不开心。"妈妈说。

"我很生气，我坐得很靠后，什么都看不到！"

"怪不得你不高兴，坐得那么靠后就没什么意思了。"

"当然没有，而且迈克——那个高个子男生就坐在我前面！他不停地摇头晃脑！"

"那更是雪上加霜了。本来就坐在后面，还有一个坐不住的高个子男生。太糟糕了！"

"确实够糟。"南希慢慢平静了下来，"妈妈，你今天做的胡萝卜馅饼好像比以前好吃。"

这位妈妈的做法可以打100分。当女孩情绪激动的时候，家长需要寻求解决、疏导的办法，而不是火上浇油。如果妈妈说："我辛辛苦苦做了晚饭，你却不知道感激！"这势必会引起母女俩的争执。或许争执到最后，两个人都筋疲力尽，妈妈觉得女孩不懂事，女孩觉得妈妈不体贴。"这一天真是糟透了！"南希可能会为这乱七八糟的一切而沮丧之极。

还有一种可能是，妈妈觉察到南希生气的原因，却给予了指责："南希，我知道你没有看好电影，但你不应该责怪我做的胡萝卜！"妈妈说得没错，南希没有很好地处理自己的情绪。但是这种直接的指责通常会引起女孩的排斥。"喔，你说的没错，可是我觉得很不舒服！"女孩在心里这样说，"我觉得你并不体谅我！"

在家长眼中，女孩的很多脾气是莫名其妙的。"她太敏感了！""她总是那么尖酸刻薄！"然而，有时连成年人也不能说明白自己发脾气的原因。因为一件小事而大起风波，这是很多成年人都会遇到的事。因此，对于还不知如何梳理情绪、控制愤怒的女孩来说，这就更可以被理解了。

体谅女孩的情绪，并告诉女孩关心他人　在后面的两种假设下，南希都因为抱怨妈妈做的胡萝卜而招致批评。这并不是南希想要的。她有点后悔，但是仍然愤怒。在第一种情况中，南希因为被理解而意识到自己刚才的冲动。"妈妈，你今天做的胡萝卜馅饼好像比以前好吃。"南希婉言表达了自己的歉意。

对于任何人来说，愤怒的情绪都是不可避免的，然而我们却可以采取不同的解决办法。有句话说："你希望别人怎样对待你，你就怎样对待别人。"家长对待女孩的态度应该是正面的。那些体谅的语言背后，是对女孩深深的尊重和理解，也必将换来女孩同样的回报。

帮助女孩找到情绪释放的渠道和方式　父母是女孩的榜样，就连发怒的方式也会被模仿。如果一个家庭经常以争吵代替交流，女孩的语言中就会带有"火药味"；如果这个家庭以交流代替争吵，女孩也会试着正面表达自己的感受。无论如何，健康的、直接的情绪释放是

必要的。父母应该告诉女孩，不必为自己的生气而懊恼，她需要学会的，是一种适合自己、又不伤害他人的情绪释放渠道和方式——即使无法避免的怒火，也可以不带指责、不带定性评价地表达出来。

第 5 章

现代育儿争议：男孩女孩到底该如何养？

本章我们试图将几种在世界上颇有影响力的教育方法做一简单的回顾。这些教育方法，都经过了时间的历练，可谓是教育园地中的奇葩。

8. 家长应该知道的教育方法

教育孩子有没有金钥匙？

在一部名为《罗拉快跑》的法国电影中，女主人公罗拉接到男友的一个电话，要她在 20 分钟内筹到一大笔钱，并且给他送过去。否则，男友就会送命。罗拉来不及思考，摔下电话就往男友的方向跑去，一边跑一边想该怎么办。

罗拉该怎么办呢？电影分别演示了三种假设。在每种假设里，罗拉都弄到了钱，但是因为方法不同，故事的结果大不相同：两种假设里罗拉或者其男友死去，还有一种是皆大欢喜。

罗拉在奔跑中经常撞到一些人。但是每次假设中，因为罗拉在时间和动作上的细微差别，那些人被撞到的情况也会发生改变：或者被撞到的时间不同，或者在有的假设里没有被撞到。

有趣的是，那些人的命运也因此发生了改变。这细微的差别，带来一系列的蝴蝶效应，同一个人，也许因此撞了好运，也许变得很倒霉。

话题转回到教育。俗话说，十年树木，百年树人。教育是一个严肃的、由不得半点马虎的话题。然而，教育也是有特殊性的。就教育的目的来看，每个家长对孩子的期望是不同的。尽管家长们都会说："希望孩子有出息！"——可是，"出息"的标准是什么呢？

甚至，每个孩子也是一个特殊的个体。他生长的环境、遭遇的事件、父母的关系、学校的教育、相貌和体态……世界在复杂的联系中看似偶然，实则必然地塑造着他。每一个孩子都是罗拉，或者是被罗拉撞到的人。世界就是如此神奇和充满玄机。

对于为了孩子日夜操劳的父母们来说，往往会带有一种希望，就是在某本书、某个事例中找到教育孩子的金钥匙。这把钥匙真的存在吗？

每一个孩子都是正在被塑造的人。世界是如此复杂多变，父母的小宝贝会变成什么样子呢？

说到底就是：有没有一种方法，能够告诉家长该怎么做，才能让孩子在多变的世界中健康成长。

这是世界上著名的教育家们毕其一生探寻的真理。本章我们试图将几种在世界上颇有影响力的教育方法做一简单的回顾。这些教育方

法，都经过了时间的历练，可谓教育园地中的奇葩。但限于篇幅，我们也只能是摘其精要而已。

我们仍要强调的是，在这些看似具有普遍性的真理下，不要忘了每个孩子都是一个特殊的个体。他们有自己的思想和行动，需要走自己的路。

家长们尤其不要忘了自己的影响力。正是家长的影响力，决定了孩子睁眼看世界的眼光。家长们是守候孩子的天使，家长的教育就是给孩子插上一对隐形翅膀，或强有力，或软弱，或色彩缤纷，或色调单一。家长将引领孩子在如罗拉般的紧急关口，做出怎样的选择，以及带有何种心态。

这把金钥匙正在家长们的手中。在家长们"特立独行"的实践之外，教育家们的建议变得毫无意义。

卡尔·威特：全能教育法

1800 年，德国乡村牧师卡尔·威特有了一个儿子——小卡尔·威特。然而，小卡尔·威特却是一个很不称心的婴儿。父亲悲伤地说："这是造得什么样的罪孽呀！上天怎么给了我这样一个傻孩子呢？"可是，卡尔·威特有儿子的消息却不胫而走，从此，周围人们就多了一桩事，那就是议论小威特的成长。

原来，在教育方面有着独特见解的卡尔·威特曾经立下誓言，要把自己的儿子培养成一位非凡之人，以证明自己的见解是正确的。那么，他的见解跟当时的教育思想有什么冲突呢？

当时的人们认为，对于孩子来说最重要的是天赋而不是教育。对于儿童的教育应该始于七、八岁。而卡尔·威特却认为，对于孩子的成长最重要的是教育而不是天赋，对儿童的教育也必须与儿童的智力曙光同时开始。

尽管儿子不尽如人意，卡尔·威特还是踏踏实实地实行了自己的计划。功夫不负有心人，在他的教育下，小威特四、五岁的时候，在各方面的能力就已经大大超出了同龄的孩子。7 岁的时候，小卡尔·威特已经远近闻名了。全国各地的精英带着怀疑的态度来考他，无一不是吐着舌头回去的。9 岁的时候，小威特在国王的特批下进入大学学习，那个时候，他已经可以熟练地翻译法语、意大利语、拉丁语、英语以及希腊语的诗词和文章，对于文学、历史、地理等方面的知识也十分丰富。14 岁的时候，小威特获得哲学博士学位，他还在汉诺威做了不用底稿的数学演讲。等到小卡尔·威特 18 岁的时候，他已经成为柏林大学的一名教授了。

卡尔·威特用事实证明了自己的观点是正确的：虽然孩子的天赋千差万别，但是在适当的教育下，禀赋低的孩子所取得的成就完全有可能超过禀赋高却没受到良好教育的孩子。他用橡树做例子说：如果按照理想状态生长的话，一颗橡树可以长成 30 米高，但是要真长成 30 米高是很困难的。一般可能是 12 米或者 14 米左右。倘若环境不好，则只能长到 6 ~ 9 米。但是如果好好侍弄，橡树或许可以长到 18 米甚至 25 米。同样的道理，即使生下来具备 100 度潜能的儿童，如果放任不管，充其量只能成为 20 或 30 度的成人。但如果教育的好，就可能达到具备 60 甚至 90 度的成人——也就是说，可能实现其潜在能力的六成甚至九成。教育的理想就在于使儿童的潜在能力达到十成。

卡尔·威特还认为，儿童的潜在能力是不断递减的。一个具有100 度潜在能力的儿童，如果从 5 岁开始教育的话，即便教育得非常出色，也只能成为具有 80 度能力的成人；倘若到 10 岁才开始，至多也只能具备 60 度能力了。卡尔·威特主张从孩子出生起就进行教育。他认为，孩子从出生到 3 岁之前，大脑接收事物的方法和以后不同，他们对事物的记忆不是对其特征进行分析之后才记住的，而是通过观察，将事物印象原封不动地做了一个"模式"印进大脑

中。这段婴儿时期的"模式教育"将决定孩子的一生。

卡尔·威特对儿子的教育是严格的，但是他并不把教育建立在儿子的痛苦之上。相反，他很注意培养小威特的兴趣，从不用填鸭式的说教，而是通过生活中的一草一木对孩子进行讲解。跟别的孩子不同的是，小威特把大部分时间都用在玩耍和运动上，然而却在生活中发现了很多问题，并在父亲的帮助下获得了丰富的知识。

尽管小威特一鸣惊人，但卡尔·威特并不想将儿子培养成只有专业知识的学者。他说："我只是……尽力把他培养成健全的、活泼的、幸福的青年……我喜欢身体和精神都全面发展的人。以我儿子为例，每当我看到儿子只热衷于希腊语、拉丁语或者数学时，就立刻想办法纠正他这种倾向。人们以为我只是热衷于发展儿子的大脑，这是错误的……所谓的学者……视那些具备常识和爱好广泛的青年为凡夫俗子，贬低那些善交际、具有生活情趣的人。我怎么能把儿子培养成这样的学者呢？"

为此，卡尔·威特非常注意培养儿子的爱好。在他们的住宅里，绝不放任何没有情趣或不相协调的东西，住宅的周围也栽着一年四季常青的花卉。他也很注意陶冶儿子的情操。只要小威特做了好事，就马上表扬："做得好！"他还为小威特做了一个"行为录"，将他做的好事记到上面作为永久纪念。在他的鼓励下，儿子成为一个精神饱满、健康活泼的少年。

卡尔·威特的教育方法影响了很多人。其中包括美国著名心理学家塞德兹博士和宾夕法尼亚州匹兹堡大学语言学教授斯特娜夫人。他们在研读了《卡尔·威特的教育》（1918年出版）后深有感悟，开始借助书中的方法并加入自己的理解训练孩子。结果，小塞德兹11岁就考入哈佛大学，斯特娜夫人的女儿维尼夫雷特3岁就会写诗歌和散文，5岁就已经在报刊上刊登文章了。

塞德兹：天才教育法

1905年，6岁的小塞德兹跟别的孩子一样上小学了。上午9时他去学校时被编为一年级，可是中午母亲去接他的时候，他已经是三年级的学生了。就在这一年内，小塞德兹结束了小学学业。

塞德兹博士曾经这样介绍他："塞德兹今年只有12岁，但却非常擅长往往使硕士研究生们头疼的高等数学和天文学，他还能用希腊语背诵《伊利亚特》、《奥德赛》等原著作品。后来，他擅长古典语，还阅读埃斯克鲁斯、索福克利、亚里士多德、洛西昂等人的作品，就如同其他的孩子阅读《鲁滨孙漂流记》之类的作品那样容易和感兴趣。他还爱好比较语言学和神学，对伦理学、古代史、美国史等也具

有丰富的知识，还通晓我国政治和宪法。"

这样的孩子，真的不是上帝创造出的神童吗？塞德兹在不朽之作《俗物与天才》中给予了解释，他告诉大家，这只是一种先进的教育方法的必然结果。

庸才是怎样产生的？塞德兹认为，按照一定规格培养起来的、行动受到限制的、循规蹈矩的、内心压抑的儿童，长大后必然成为庸才。因为他们在孩童时期就被弄得毫无生气，他们漫长的生命从一开始就被否定了。因此，幸运的小塞德兹一生下来就很少受到束缚和压抑。在婴儿时期，他不受襁褓的捆绑，饿了就进食；他很少受到大声指责，总是被爱着并受到保护；他大部分的时间都在玩耍，却用了很少的时间完成了别的儿童 8 年才能学完的功课。

小塞德兹的高效率学习来自他对学习强烈的兴趣和热情——他从来都是自愿学习的。父亲从来不把他束缚在书桌前，而是经常带他到大自然中去。他所获得的知识，几乎都是在近乎玩耍的状态中掌握的。有一次，父亲给他带来几块眼镜片，他就淘气地把镜片架在自己的眼睛上玩，不一会儿就喊眼花。然后，他又一只手拿近视镜片，一只手拿远视镜片，一前一后地向远处看，他看到了什么呢？远处礼拜堂的塔尖突然来到他眼前！从此，小塞德兹懂得了望远镜的原理，并亲手制作了他的第一架望远镜。还有一次，小塞德兹在外面玩耍时，发现了一只受伤的小猫，就把它抱回家，央求父亲医好它。于是，塞德兹找到了他的医生朋友，轻而易举地把小猫的伤治好了。这件事情让小塞德兹迷上了生理学和医学。他觉得知识真是一件美好的东西！

孩子的好奇心是宝贵的。为了满足好奇心，有的孩子会把家里的钟表拆得乱七八糟，有的孩子会不停地提出问题，把父母问得很心烦。塞德兹认为，这些都是需要父母慎重处理的。塞德兹曾亲眼看到，他的妻弟因为孩子把怀表卸开而大打出手。当时，塞德兹上前拦住他，他却说："你还护着他，你看他把我的表弄成什么样子！"孩子却抽泣着说："我没弄坏表……我……我只想拆开看看它哪儿出毛病了……"这个孩子第二天就离家出走了。当家人找到他的时候，他跟一个马戏团在一起，坚决不肯回家。

塞德兹总是站在孩子的角度理解问题，注意保护孩子的心灵不受伤害。他总是尽可能地不让孩子带有失意、恐惧等负面的情绪。他认为，"打击只能使孩子变成一个懦夫，变成一个无能的人。它能毁掉孩子。"品质也是他强调的重点，他认为一个人应该敢作敢为，不怕失败，而且父母的品质是孩子品质的一面镜子。"所谓近朱者赤，近墨者黑。孩子的一切品质都是从别人那儿学来的。"塞德兹如是说。

塞德兹还有一个发现是：音乐可以造就"天才"。他很早就注意到，摇篮里的小塞德兹哭闹的时候，只要一听到悦耳的琴声就会停止，还会露出愉快的微笑。他把这一发现应用到教育中，取得了很好的效果。他总结说，如果小塞德兹能称得上是"天才"的话，那么音乐就是他成为"天才"的潜在因素。

M. S. 斯特娜：自然教育法

在女儿 12 岁那年，斯特娜夫人将自己的教育经验写成《M. S. 斯特娜的自然教育》，阐述了早期教育的重要性。书中的很多观点与卡尔·威特的教育方法互相印证，但是添加了更多新的元素。特别对于有女孩的家长来说，其中的一些观点更值得借鉴。

母亲的重要性　斯特娜夫人认为, 母亲在孩子的教育中有着不可替代的作用, 可以说, 孩子的未来命运有时就操纵在母亲手中。那些没有准备好承担困难、或者准备将困难交给保姆的人, 最好不要做母亲。

胎教的作用　没有一个母亲会给婴儿吃有害的东西, 可是她们却会在怀孕时不注意饮食。事实上, 母亲的食物对胎儿的健康是很有影响的。除此之外, 母亲的情绪也很重要。一个在怀孕时经常哭泣的母亲, 很可能会使胎儿发育不良。有的母亲不想要孩子, 因而对肚子里的胎儿怀有怨恨情绪, 生理学家说, 胎儿是会感受到的, 这样的胎儿出生以后也不会觉得幸福。因此, 如果想要养育健康的宝宝, 母亲在怀孕时就应该合理膳食, 保持好心情。

教育从训练五官开始　斯特娜夫人认为, 孩子的能力如果不开发和利用, 就永远得不到发展。因此, 她就从听力开始对女儿加以训练。她不会唱歌, 就采用了朗诵诗的办法, 她发现, 随着诗的语调的变化, 孩子的反应也在变化。另外, 她还买来发出乐谱 7 个音的小钟, 并系上不同颜色的发带, 培养孩子的听力和对色彩的感觉。这样的小道具还有很多: 蜡笔、彩色小人书、名画的摹本……维尼对这些都很喜欢。"我绝不强迫她去做什么。孩子是活物, 自然要不断发挥她的能量。"斯特娜夫人说, "我只是为了不让她的精力白白浪费掉。孩子总有事干, 就决不会因无事可做而去吃手指头, 因无聊而沮丧、甚至哭泣了。"

语言的功能　语言是进行思维的工具。所谓发展孩子头脑的手段, 就是指尽早地开始教孩子语言。如果父母能够在孩子 6 岁之前, 加紧教其准确的语言, 这个孩子就一定可以快速发展。斯特娜夫人还强调，不要教孩子那种不完整的语言。"我从女儿出生起，就尽可能对她说准确而漂亮的英语。"维尼还不到 1 岁，有位朋友对她说："维尼，让我看你的汪汪。"维尼纠正说："这不是汪汪，是狗。"朋友惊讶极了。

书写与读书　斯特娜夫人的时代，打字机十分盛行。于是她就用这个工具教女儿打字，练习拼写。维尼不到 3 岁就学会了用打字机写诗和文章。之后再学习用笔写字就会容易许多了。维尼还很喜欢读书。斯特娜夫人很注意书的选择，她认为，一个人最初读的是什么书，往往决定了一生的读书喜好。

趣味数学　一开始，维尼对学数学非常抵制，这让斯特娜夫人很头疼。后来她发现，维尼不喜欢数学的原因是因为自己的教法不对头。一位数学教授建议她从数字开始。于是斯特娜夫人就用游戏的办法把女儿带入数字的世界。随着游戏越来越复杂，女儿对数学的兴趣也与日俱增。

不仅仅是游戏　同小威特和小塞德兹一样，维尼的很多知识也是从游戏中获得的。为了使她各方面都得到发展，斯特娜夫人开设了与之相匹配的游戏。例如，"蒙眼睛"游戏可以发展触觉，做布娃娃可以加强手指灵活度，"卡片游戏"可以提高记忆力。

培养社交能力　社交能力也是孩子必要的能力。维尼曾担任"美国少年和平同盟"的会长，有一次她接触到一个因瘫痪而厌世的少年，为了帮助他，就教他世界语。这个孩子很快活泼起来，用世界语和各国孩子通信，过着非常充实的生活。

蒙台梭利：特殊教育法

19 世纪末的一天，罗马正在举行一场特殊的测试。之所以说它特殊，是因为测试题目是专为正常儿童准备的，而考生中却有一部分是低能儿童。然而，结果更加出人意料，那些低能儿童全部通过了测试，而且成绩并不比正常儿童差。

创造这一奇迹的，是当时的意大利国立特殊儿童学校的校长、意大利第一位女医学博士蒙台梭利。成绩来源于蒙台梭利对自己观点的实践：儿童心理缺陷的精神病主要是教育问题，而不是医学问题，教育训练比医疗更为有效。

面对这些成绩，蒙台梭利并没有满足，反而进行了更深的考虑：为什么正常儿童的成绩并不比低能儿童优异？如果低能儿童能达到这个成绩，那么正常儿童是不是可以做得更好？

蒙台梭利的结论是，绝大多数正常儿童的智力发展，是被不正确的教育方法所延误了。

蒙台梭利认为，人类的未来寄希望于大多数的正常儿童，对他们的教育更是不能忽略的大事。为此，她从校长的高位离开，回到罗马重新注册做学生，开始研究针对正常儿童的科学的教育方法。

7 年以后，蒙台梭利儿童之家正式成立，它成为蒙台梭利教育理论的实验基地。为此，蒙台梭利说："7 年来，我一直有一种预感，那些成功运用在智障儿身上的教育方法，其原理必然也能够适用于正常儿童，而且，效果一定更好。"那么，蒙台梭利的教育思想表现在哪些方面呢？

儿童喜欢"工作"甚于游戏　在蒙台梭利的词汇中，"工作"一词的频率出现很高。她所谓的"工作"，泛指一种手脑结合、身心协调的作业。她认为，工作是人类的本性和人性的特征，"儿童的'工作欲'象征着一种'生命的本能'，在顺利的环境下，工作的这种本能会自然地从内在冲动中流露出来。"因此，编制适合孩子的教具（蒙台梭利更喜欢称之为"工作材料"）是很有必要的。蒙台梭利发现，孩子们很喜欢操作教具，并从教具中获得了满足与乐趣。在蒙台梭利的教育中，教具取代了玩具，成为重要的教育辅助者。蒙台梭利根据人的感官，设计了各种独特的教具，例如由 10 块粉红色的木头组成的粉红塔，就是为了训练孩子的触觉和视觉。

儿童的"内在需要"　人类成长的规律是什么呢？正如孩子生下来会慢慢变高。蒙台梭利认为，生命是自然发展的，从受精的那一时刻起，生命就遵循了自然法则，按照大自然预定的计划开始自我活动。而推动发展的正是"内在需要"。

刚出生的婴儿肚子饿了，会自己去寻找奶香。人类就是在"内在需要"的推动下，去寻找所需的东西，实现成长的目标。儿童也是一样。因此，独立不仅是儿童成长的目的，也是成长的条件。如果大人一味地代替儿童选择，儿童就会成为被动的容器，他成长的天然秩序就会被打乱。另一方面，失去了主动性的儿童，也会排斥被动的安排，对那些自己并不喜欢也不需要的东西失去探索的兴趣，学习的意愿也就无从谈起了。

大人应该尊重儿童的"内在需要"。在放手之外，支持也是很重要的。譬如，"内在需要"使儿童必须学会适应环境，大人可以为之打造一座桥梁，使适应的过程更顺畅。蒙台梭利将之称为"有准备的

环境"，她所创办的"儿童之家"就是一个范本。

教育的黄金时期 蒙台梭利认为，生命的开始自受孕的那天，教育也应该从那天开始，而 0～3 岁是教育的黄金时期。在这一时期，婴儿借助"吸收心智"的内在助力，会无意识地进行外界印象的大量、完整的吸取，以完成从无到有的积累。这时它的大脑会快速发展，到 3 岁的时候，智力的 60% 就已经完成了。如果不把握这个时期，年龄越大，启发、培养的工夫就会越费力。现代科学家的研究也证明了蒙台梭利的观点。

蒙台梭利还非常注意对儿童的感官训练。她提出"敏感期"的观点，认为在儿童成长过程中，各种官能都有一定的敏感期，如果这时期他的需求得到满足，官能就会事半功倍地迅速发展。她甚至打破常规，将写字的练习放到阅读之前，取得了很好的效果。

自由和秩序 "自由"是蒙台梭利教育的基本原则，但这种自由是以秩序为前提的。蒙台梭利允许儿童遵循"内在的需要"自由地选择和操作教具，但是在玩下一样时，必须把前一样东西收拾好。她不赞成用惩罚或奖励来诱迫孩子遵守纪律和学习，认为这只能起到相反的效果。

斯宾塞：快乐教育法

斯宾塞是 19 世纪后期英国著名的教育家，也是近代西方科学教育思想的倡导者。他认为："长期以来的教育误区，把教育仅仅看作是在严肃教室里的苦行僧式的生活，而忽视了对孩子来说更有意义的自然教育和自助教育。"为此，他提出"逃走教育，快乐教育"的理念，强调"对儿童的教育应当遵循心理规律，符合儿童心智发展的自然顺序"。从而揭示了科学教育的本质，成为现代教育史上的里程碑。

斯宾塞的理念来自于他对孩子天性的透彻了解。例如，所有的孩子都会对一些事情感兴趣，他们可能花上一个下午观察一窝蚂蚁的活动，却不愿意花20分钟背一首诗。家长们或许觉得孩子的观察是浪费时间，殊不知，经过正确的引导，孩子一样能从中学到不少知识。当斯宾塞发现儿子对蚂蚁感兴趣时，就加入了儿子的"兴趣小组"。第一天，他们仅仅是看；第二天，斯宾塞就拿出了"研究计划书"：蚂蚁吃什么？怎样分工？用什么工作？用什么走路？一系列的问题更加勾起了小斯宾塞的兴趣。研究持续了一个夏天，小斯宾塞不仅学到了大量的知识，而且不知不觉地学会了系统学习的方法。

斯宾塞也强调良好的家庭环境对孩子的重要性。他认为，如果父母真诚相爱，就无需向孩子解释什么是友爱和美善；如果家庭气氛平等、和谐，家庭成员彼此赏识，孩子就会学会体谅、关心他人。

斯宾塞认为，要想让孩子快乐的成长，就必须培养他快乐、自信、积极的性格。要做到这一点，就必须避免一些误区：

过分的批评　　"你真笨！这么简单的问题都不会！"对孩子恶言相加其实是不尊重孩子的表现。孩子也有自尊、自信、自爱，如果他们的这些正常需求被扭曲，长大以后难免有生理缺陷。

冷漠和麻木　　所有的孩子都希望引起父母的主意。对孩子来说，冷漠和麻木是最具杀伤力的行为。

把自己的遗憾交给孩子完成　　这是很多父母的毛病。他们把自己的选择强加在孩子头上，用自己的希望制造孩子的遗憾。当孩子在父母的道路上疲于奔命，成功也就遥不可及了。而真正有智慧的父母，

懂得帮助孩子找到自己的优点和才能，走自己的路。

要求孩子十全十美　"你这也不好，那也不好!"为什么不看看孩子的优点呢? 父母自己不也是有很多缺点吗? 过分的挑剔只会使孩子丧失信心，觉得自己一无是处。

铃木镇一：才能教育法

1955 年的一个晚上，日本松本音乐学院迎来了一群尊贵的客人——著名的维也纳艺术学院合唱团。为了迎接客人的到来，音乐学院的孩子们——30 名幼儿和小学生拉起了巴赫的《罗迪协奏曲》。

合唱团的成员赞叹不已。他们想不到一群孩子能把这么难奏的曲子诠释得如此精彩。"奇迹! 真是让人难以想象。"合唱团指挥者说，"我可以听听小孩子的独奏吗?"

被点到的是一名一年级小学生。他拉了巴赫的《协奏曲第一号 E 短调》，拉得非常出色。

下一个被点到的是最年幼的孩子，她拉了维瓦特的《G·莫尔协奏曲》，同样精彩。

合唱团员们震惊了，继而被深深地感动。是谁创造了这样的奇迹?

他就是日本著名教育家和音乐家铃木镇一先生。

早在松本音乐学院创立之初，铃木就表示："我对办音乐学院不太感兴趣，我在东京一直从事的是帮助那些艺术界的人们纠正其存在的某些缺点和错误。我想干的是幼儿教育，借我的新思想和方法去教育孩子们，而不是去培养天才。通过多年的反复研究，我对如何通过拉小提琴去开发和提高孩子的能力充满了坚定的信心。因此，我打算今后致力于这方面的教育，如果赞成我的意见，我可以在这些方面协助做一些工作。"就这样，铃木以松本音乐学院为中心，开展了才能教育运动。这一运动被美国媒体评价为"铃木发起的小提琴教育法革命"。

所谓的"小提琴教育法"，是指通过教会孩子们拉小提琴，使孩子的大脑充分活跃起来，从而获得优秀的能力。这种能力不仅仅表现在音乐上。铃木所培养的那些在音乐上有出色表现的孩子，在学习成绩上也同样优秀。一项对幼儿园的才能教育训练班毕业幼儿进行的智力测验表明，这些幼儿的平均智商在 160 左右，而一般孩子的智商是 100。

然而，这些孩子并不是铃木为了实验而特别挑选的。也就是说，他们只是普通孩子的一部分。铃木认为，能力并不是天生的，而是在不断适应生存环境的过程中获得的。特别是幼年期旺盛的生命力决不能被抑制，教育者应该有正确的能力，即开发孩子的内心感觉。这就是铃木的"能力培养法则"。

铃木强调环境、家庭对孩子的影响。要想把孩子培养成心地善良、感觉敏锐和能力强的人，他的家庭生活必须是欢乐和充满爱心的。那么，孩子的能力能培养到什么程度呢？铃木的回答是，到那个时代文化能力的最高点。"假若将石器时代的幼儿由现在的我收养教育的话，大概不需要多长时间，那幼儿将会被培养成为能演奏贝多芬创作的小提琴奏鸣曲的青年。"铃木如是说。

铃木很注意体会孩子们的内心世界。他认为，大人应该与孩子"交心"，才能真正理解孩子。孩子们喜欢表扬而不喜欢责备，喜欢从

游戏中学习，喜欢遵循自己的兴趣进行探究，喜欢由易到难的深入，这些都是自然、科学的规律。而大人们的功利心态、怀疑态度往往会阻碍孩子的发展。

多湖辉：实践教育法

20 世纪 80 年代，日本经济高速发展，教育随之成为全社会关注的话题：人们已经意识到，教育已不再是一种消费，而是一种投资。持这种新教育观的教育家不在少数，多湖辉就是其中一位。

与众多以理论见长的教育家不同，多湖辉更重视教育的实践性。他认为，增强孩子能力最好的办法，就是使父母成为"教育的实践者"。父母不仅要了解孩子独特的心理动态，还应该针对不同孩子的个性特征，不断地在生活和学习实践中摸索教育孩子的方法。

多湖辉的著作颇丰，下面仅就他的观点举例介绍：

教导孩子思考　怎样让孩子的大脑变得更聪明？多湖辉认为，人的大脑带有节约思考的组织，譬如我们每天习惯的刷牙吃饭，可以不用什么思考就能处理。"节约思考组织"使得人们的生活更方便，但也容易使人陷入墨守成规的陷阱。对于孩子来说，后者是尤其可怕的。孩子的大脑正处于发育的阶段，如果失去了思考的机会，大脑不仅会"生锈"，还有可能得不到正常的发展。因此，要想让孩子变得更聪明，就应该寻找机会让孩子的大脑进入思考的状态。

如何与孩子交流　多湖辉曾经在美国看到这样的镜头：一个四五岁的男孩问一位男子："你为什么赤着脚走路？"男子注视着孩子的脸，慢慢地说："这是我的哲学。不想隔着鞋，是想与地球直接接触。"孩子像是理解了，于是小声说："噢，是哲学。"男子像对待大人一样回答孩子的问题，孩子一方面感到自己受到尊重，一方面也切身体会到了"哲学"的意义。多湖辉还建议人们用反问的方式回答孩子的问题。譬如问小男孩："你认为我为什么要赤着脚呢?"这样就会给孩子思考的余地。大人的提问也是如此。如果问："那边是小汽车吗?"孩子只能回答"是"或"不是"，但如果问："那边是什么?"孩子就会开始观察和思考，给出多种答案。

允许孩子失败 多湖辉曾经讲过一个"沉默儿童"的故事：曾经有一个孩子在学校里一句话也不说，大人怀疑他神经出现了问题，就带他去看医生。没想到，孩子神经很正常。他说："我在学校一有差错同学们就嘲笑我。因此，我想什么也不干，什么也不说。"多湖辉借此告诫家长，不要使用"不许失败"的论调，应该允许孩子失败，然后告诉他"失败了也没关系"。实践证明，"可以失败"比"不准失败"更能减少孩子的失误。很多人都是从失败中汲取经验，变不利为有利的。对于那些愿意尝试的孩子来说，即使家长知道可能会失败，也不妨让孩子试试看。

9. 关于"男孩穷着养，女孩富着养"的几点说明

并非来源于"性别刻板印象"

刻板印象是指社会上对某一群体的特征所作的归纳、概括和总结，它是存在于人们脑海中的一些固定的看法。譬如，人们认为：母亲总是温柔、贴心；后母却冷酷、嫉妒；书生总是文质彬彬，还有点迂腐；女秘书总是美丽妖冶；小偷总是容貌猥琐，等等。在同一社会或同一群体中，刻板印象具有相当的一致性，但是它的形成，并不以直接经验为依据，也不以事实材料为基础，更不考虑个体的差异，因此，它往往与事实发生冲突，甚至经常是错误的。尽管如此，刻板印象却对人们的认知和行为产生重大影响。例如，一个因为聪慧能干而受到重用的女秘书，却因为长得漂亮而总是受到人们的揣测；一个善良贤淑的后母，却因为对孩子进行适当的管教而受到人们的非议。

性别刻板印象是指人们对男性和女性在行为、个性特征等方面进

227

行的归纳、概括和总结。心理学家研究调查发现，性别刻板印象自古至今，在世界各国都存在普遍的一致性，即认为男性具有坚强、自信、能干、理智、成就动机等品质，而女性具有敏感、柔弱、重感情、被动、顺从等品质。

追溯中国历史，性别刻板印象是非常严重的。就我国国内通行的历史课本来看，被记载的女性仅有 12 人，而男性则有 490 人，尤其是中国的史书《二十四史》更是男性的活动史，没有女性的地位。让人惊讶的是，这种性别刻板印象并没有被时间和男女平等的口号冲淡，而是一代代被传承下来——华中师大心理学教授左斌对人民教育出版社新出版的小学语文课文的研究分析发现，小学语文分配给男女两性扮演主角的数量，男性是女性的 4.3 倍；对女性的描述是无知低能、具有不良性格特征（如小气、狠毒、不信任、迷信等）的多，男性则是知识渊博、能力高强、具有优良品质（坚强、勇敢、正直、友爱）的多。

性别刻板印象的成因是复杂的。它只是对社会人群的一种过于简单化的分类方式，却直接影响到男性和女性的思想和行为。甚至，当我们提出"男孩穷着养，女孩富着养"的观点时，也会有很多读者把它与性别刻板印象联系起来。

然而，如果读者读毕本书，就会发现，我们这一观点的提出，是建立在对男孩、女孩生理和心理因素分析的基础上。

男孩、女孩都遵循着自己的生命蓝图。胎儿时代，这两类蓝图分别被不同的激素（男性激素和女性激素）激活，进入各自的发展历程。这种区别，在它们出生之后，在激素的作用和教育、社会文化的熏陶下愈加明显。对此，美国的约翰·格雷戏谑地说："男人来自火

星，女人来自金星。"这种说法并不过分。

"来自不同星球"的孩子们对于生活有不同的认识和要求。我们把这归结为男孩和女孩的天赋和需求满足点。男孩喜欢自由、竞争、冒险，对自己拥有完成任务的能力而感到满足；女孩喜欢沟通、交流，希望自己拥有美好的情感与和谐的人际关系。如果家长们抓住了这些本质，那些看起来复杂繁琐的教育方法和理论就会变得脉络清晰、简单易行。

那些性别刻板印象不过是本质的一种表现罢了。男孩女孩们并非天生就是这个样子。在内在需求的驱使下，他们会做的可不止这些。然而，在性别刻板印象的作用下，那些不符合"标准"的声音被埋没或者误解了。

并非歧视

女孩富着养，男孩穷着养，这是否意味着我们要对女孩倾注全部的感情，却把男孩晾在一边？这难道不是一种性别歧视吗？不是女权主义在教育上的表现吗？

提出这个问题的读者首先误解了我们所谓的"富"和"穷"的含义。关于这一点我们会在下文阐释。在我们的观点中，"富"和"穷"并不是对立的，只是侧重点不同罢了。

接下来要讨论的问题是：不同就意味着歧视吗？毛泽东曾说："时代不同了，男女都一样。"这是不是说，我们需要给男孩和女孩同样的教育？

为了进一步说明，我们来看第一次世界妇女大会对性别平等的界定："即男女的尊严和价值的平等，以及男女权利、机会和责任的平等。"谜团解开了。所谓平等，指的是"权利、机会和责任"，从教育的角度，我们必须给男孩和女孩平等的受教育的权利，这与教育的方式没有关系。

再进一步说，平等的教育与同样的教育其实是完全不同的概念。孔子尚且说："因材施教。"对于"来自不同星球"的男孩女孩，我们怎么可以用"同样的教育"来扼杀孩子的个性？或者我们观察现行的教育：男孩和女孩都能完全投入到课程中去吗？教学方法是否考虑了他们各自的特点？教科书中反映了男性和女性各自的成就了吗？正如我们在前面提到的，小学教育对女孩是有利的，却并不适合男孩的发展。"当一个男孩体内的每一根神经都催促他去跑去跳时，他却必须坐得端端正正、把手背在后面、听上 8 小时的课。"——同样的教育才是不平等的教育。关于这个问题，我们在前文已经详细探讨，在此不做赘述。

并非对立

承接上面的问题。一直以来，很多激进的女权主义者保持着男女两性对立的心态：凡涉及性别平等问题，便对男性霸权义愤填膺。然而，正如詹姆士·杜布森博士说："上帝在两性之间安排了各自拥有的控制力，从而使得两者取得平衡，这样的创造性是多么不可思议啊。"——我们要求性别平等，但不能要求女性从男性世界里大规模出走，以打破这个由男性和女性共同组成的世界，也不能要求把男性摆在受歧视的地位，让世界归为另一种"平衡"。

在教育的问题上也是一样。给予男孩和女孩对立的教育并不是可

行的方法。聪明的家长懂得让孩子扬长避短，以独立自主的角色进入到良性社会平等、均衡、和谐的发展中。

女孩富着养

支持女孩保留女性特征 女性特征并不是让女性长期以来处于劣势地位的根源。让女孩摒弃那些带有女性特征的活动，以雄性的姿态进入社会竞争是悲哀的。当女孩必须放弃什么（可能恰恰是她的优势）、伪装自己，试图博得男性的认同，她们就会觉得自己永远居于次要位置，并且在男性优势前产生无力感。

女孩必须有关于力量和能力的意识 我们赞成女孩成为精神的贵族。当女孩学会倾听自己内心的声音，并遵循这个声音，以自己的方式去发展，女孩就会变得独立而富有智慧。女孩不是无助的，我们应该支持女孩的努力并对此抱有信心。

男孩穷着养

鼓励男孩塑造男子汉风度 男子汉风度意味着英雄气概，意味着对成功的把握，意味着诚实、可信赖、愿意帮助和爱护他人。这不仅仅是社会的要求，而是男孩的满足点所在。男孩的天赋是他们追求目标的优势。

男孩并非"单细胞动物" "男孩的心理很简单。"这是相对于女孩而言的。的确，女孩往往更为细密，情感更丰富和外露。但这并不能断言，男孩就是"单细胞动物"。男孩也有自己的故事，也有困惑和迷茫，他们并不是顺理成章地就能成为一个男子汉。

并非金钱

"喔，你说得对，但我们没有那么多钱，不可能给女儿'富'的教育。"这样的论据是可笑的。事实上，我们自始至终都没有把"富着养"跟金钱挂上钩。"富"即是"丰富"的意思。

最奢侈的教育未必是最好的教育。换句话说，成功的教育并不是只要父母从口袋里掏钱就可以办到的。否则，为什么有俗话说"富不过三代"，而寒门中却不乏优秀人才出现呢？

日本教育家井深大说："教育孩子并非消遣或享受闲暇，也不是只要花钱、花时间就能轻而易举办到的事。"不管是"穷着养"还是"富着养"，都需要家长倾注爱心和努力，也许，并不需要太多金钱。

10. 结束语：育儿没有标准版

高于一切的责任

曾经有一位记者到边远山区采访，他看见一群目光呆滞的成年人，无所事事地在村里的断壁残垣下晒太阳。他们是一个恶性循环的产物：因为贫穷，孩子得不到上学受教育的机会，长大后结婚，又不懂得节育，虽然有很多子女，也只能任其像小草一样活着——没有饭吃，没有衣服穿，没有学上，甚至，没有思想。于是，生命继续，贫穷依旧。

远处，有几个孩子在放羊，看到记者，露出好奇的目光。记者用相机给孩子拍摄了一组照片，伤感地说："对于那些大人，我是没有办法帮助他们了。但是，谁来救救那些孩子呢？我不敢想，那些孩子会有什么样的未来。"

当婴儿呱呱坠地，年轻的父母便多了一个头衔，开始了一份任重而道远的事业——如何把这个天真无邪的婴儿抚养成人，让他（她）拥有快乐、健康、智慧，成为一个男子汉或者出色的女性？

　　这将是一个多么伟大而独特的工程！如果你是男孩的父母，就要容忍他的小捣蛋，为他的每一次冒险而提心吊胆，为他能静下心学习殚精竭虑；如果你是女孩的父母，就要习惯她敏感的小脾气，习惯她莫名其妙地哭鼻子又突然灿若阳光，习惯在她独自出行时，把无休止的担心吞到肚子里。

　　然而，当你拖着疲惫的身体回家，男孩对你说："嗨，爸爸！"你就不得不承认，这个头发乱糟糟、个子不高、追猫逗狗的小家伙已经占据了你的心。当你落寞失意、心情陷入低谷时，女孩悄悄爬上你的膝头，用她柔软的胳膊抱住你，说："妈妈，我跟你说句悄悄话……"你所有的痛苦、尴尬和愤怒都会一扫而光，你会感谢上苍，赐予自己这样可爱的小天使。

　　如果说老师是孩子灵魂的工程师，那么父母就是孩子心灵的园丁。当孩子如幼苗破土而出，父母便每天守候在他身边，思考怎样给他进行修剪、浇水和施肥，担心土地的性质、阳光照射、水份、风沙、病虫害会不利于他的成长，祈祷他经受住日晒雨淋和风暴病虫，长成参天大树。正是这种全方位的、有针对性的呵护，使家庭教育在孩子的一生中占据了极其重要的位置。

　　孩子的命运在父母的手中。对父母来说，孩子就是甜蜜的负荷。

成功复刻板？

所谓复刻板（产品），是指复制某个品牌曾经推出过的、具有标志性意义的产品。复刻板意味着对经典产品从设计、材质、模板等细节上加以还原，以表示对其的怀念和敬意。因此，在一些拥有悠久历史的大品牌商店里，我们可以看到牛仔复刻板、香水复刻板、手表复刻板……它们总是被挂在店铺最醒目的位置，价格昂贵且限量，旗帜鲜明地表现出与众不同、不可多得的经典地位。

回过头看我们的教育。中国素有崇尚榜样的文化。一个常见的例子是，很多家长都会对孩子说："要向××学习"、"像××那样"……所以，一本《哈佛女孩刘亦婷》打开榜样教育的图书市场后，其他《哈佛男孩张肇牧》、《剑桥女孩孟雪莹》、《吴杨，改写牛津800年校史的中国女孩》、《耶鲁男孩》、《牛津圆梦》等一系列"制造天才"的"经典书"的走红也就不足为奇了。

一个优秀的孩子应该是其他孩子学习的榜样。但是，他的教育是否就可以因此成为可供家长们复刻的摹本呢？当家长们将之奉如圭臬，如法炮制，果然就可以培养出"哈佛女孩"、"剑桥男孩"吗？

更进一步说，是否所有的孩子都把进入哈佛、剑桥当作最高目标呢？这是否只是望子成龙、望女成凤的家长们的一厢情愿呢？再或者说，进入世界级名校就是成功的标准吗？

一个不容忽视的问题是：孩子们的智商、兴趣、特长以及环境条件是不同的，每个孩子都是一个鲜活的个体，他们不可能像物质资料一样，成为某一种经典的还原。于是，我们看到这样的报道：一个5

岁的青岛小女孩，妈妈按照刘亦婷的培养模式，每天念着名著给她听，小女孩终于忍无可忍，捂起耳朵哭喊道："我讨厌刘亦婷，我再也不想听名著了！"原本开朗的孩子变得孤僻暴躁，不得不求助于医生。

卡尔·威特曾经说："不能断定，运用我的教育法的人就一定能像我一样取得成功。另外，也没有必要让所有的孩子都像我儿子一样接受那样的教育。"成功的个案是不可复刻的。然而家长可以从中得到启发。塞德兹博士和斯特娜夫人都是《卡尔·威特的教育》的受益者，但是他们并没有墨守成规，而是形成了自己的教育思想。本书的意义正在于此。

成长的目标

哲学家谢弗曾经说："现代人的困境很简单：他不知道怎样的人生才是有意义的……这是我们这一代人的灾难，是现代人问题的核心。"对人生意义的追寻可能会使很多人发狂。或者我们可以做一个设想，当我们垂垂老矣、生命即将画上休止符的时候，回首一生，是什么让我们觉得满足？是金钱、职业头衔还是学位？

在英国某小镇的一个小餐馆里，两位老顾客在聊天。一个是远离家人在英国打工的华人妇女，一个是以沿街说唱为生的年轻小伙子。

华人妇女关切地对那个小伙子说："不要沿街卖唱了，去做一个正当的职业吧。我介绍你到中国去教书，在那儿，你完全可以拿到比你现在高得多的薪水。"

小伙子听后，先是一愣，然后反问道："难道我现在从事的不是正当的职业吗？我喜欢这个职业，它给我、也给其他人带来欢乐。有什么不好？我何必要远渡重洋，抛弃亲人，抛弃家园，去做我并不喜欢的工作？"

邻桌的英国人，无论老人孩子，也都为之愕然。他们不明白，仅仅为了多挣几张钞票，抛弃家人，远离幸福，有什么可以值得羡慕的。在他们的眼中，家人团聚，平平安安，才是最大的幸福。它与财富的多少、地位的贵贱无关。于是，小镇上的人，开始可怜我们的女同胞了。

我们不能没有目标地活着。这个目标，可以是金榜题名，可以是腰缠万贯，也可以是心灵的平静与富足。然而，在这个物质极大丰富、经济快速发展的社会里，我们经常被那些源源不断的信息迷花了眼。现代的年轻人，面对着前人无法想象的机会，但却不知道自己的存在究竟有什么意义。他们追逐成功，内心却一片迷茫，似乎这些只是对别人的一场表演，以证明自己是有价值的。

精神与生命是息息相关的。为智慧而自豪的人类不可能生活在精神的真空地带。因此，当家长们有意无意为孩子设立生活目标的时候，不要忘了这个目标对孩子的精神有什么意义，更不要让那些近乎可笑的、空虚的目标占领孩子的生活。杜布森博士在《边缘生活》一书中告诫年轻人："有好几个带有永恒意义的问题……人类家庭面临的问题基本上是相同的，不同的只是答案。这些问题是：作为一个人，我是谁？我是怎样来到这个世界上的？信仰和行动是否有正确和错误之分？人死了以后还会有生命吗？有一天我将为自己的生活方式承担责任吗？生和死的意义是什么?"

让孩子在生活中体会到生命的意义远比用智慧填补空虚的大脑重要得多。但也许这些问题很多大人也没有搞清楚。这没有关系。因为孩子是最好的老师。他可以用生命最初的精神气质征服你，那是一种单纯的快乐，追随内在需求的成长，与自然同呼吸的和谐，以及生命最朴素的丰盈，这才是孩子成长的目标。

放心去飞

男孩女孩是否应该采取不同的养育方式？男孩该如何养？女孩该如何养？是应该给予孩子"人家都有"的教育、最奢侈的教育，还是最适合的教育？如何才能让孩子从自身的局限、文化的困境里逃离，进入属于他自己的最广袤无垠的天地？也许真理并非绝对存在，但我们希望这些探讨可以使我们离她更近些，也希望本书能够对读者有所启发。在我们的讨论即将结束的时候，以一首梅·萨顿的诗与读者共勉，感谢您读完这本书。

> 心灵的园丁，
>
> 让我们永远充满希望。
>
> 他深知，
>
> 不经历黑暗，
>
> 就感受不到黎明的生机，
>
> 没有阳光，
>
> 就不会有鲜花绽放。